ASSÉDIO MORAL

EDITORA AFILIADA

Da autora:

Mal-estar no Trabalho:
Redefinindo o Assédio Moral

A Violência no Casal

Marie-France Hirigoyen

ASSÉDIO MORAL
A violência perversa no cotidiano

22ª EDIÇÃO

Tradução
Maria Helena Kühner

Rio de Janeiro | 2024

Copyright © 1998, Éditions La Découverte et Syros

Título original: *Le harcèlement moral*

Capa: Simone Villas Boas

Editoração: DFL

2024
Impresso no Brasil
Printed in Brazil

CIP-Brasil. Catalogação-na-fonte
Sindicato Nacional dos Editores de Livros, RJ.

H559a
22ª ed.
	Hirigoyen, Marie-France
	    Assédio moral: a violência perversa no cotidiano / Marie-France Hirigoyen; tradução de Maria Helena Kühner. – 22ª ed. – Rio de Janeiro; Bertrand Brasil, 2024.
	    224p.

	Tradução de: Le harcèlement moral Inclui bibliografia ISBN 978-85-286-0740-6
	1. Assédio moral. 2. Perversão (Psicologia). 3. Vitimologia. I. Título. II. Título: A violência perversa no cotidiano.
99-1549	CDD – 616.858 CDU – 616.89-008.44

Todos os direitos reservados pela
EDITORA BERTRAND BRASIL LTDA.
Rua Argentina, 171 – 3º andar – São Cristóvão
20921-380 – Rio de Janeiro – RJ
Tel.: (21) 2585-2000

Não é permitida a reprodução total ou parcial desta obra, por quaisquer meios, sem a prévia autorização por escrito da Editora.

Atendimento e venda direta ao leitor:
sac@record.com.br

SUMÁRIO

Introdução 9

I. A VIOLÊNCIA PERVERSA NO COTIDIANO

1. A violência privada 21
   A violência perversa entre casais 21
   A violência perversa nas famílias 47

2. O assédio na empresa 65
   De que estamos falando? 65
   Quem é visado? 68
   Quem agride quem? 69
   Como impedir uma vítima de reagir 75
   O ponto de partida do assédio 82
   A empresa que nada faz 93
   A empresa que estimula os métodos perversos 98

II. A RELAÇÃO PERVERSA E SEUS PROTAGONISTAS

3. A sedução perversa 107
4. A comunicação perversa 112
   Recusar a comunicação direta 112
   Deformar a linguagem 114
   Mentir 117

Manejar o sarcasmo, a derrisão, o desprezo 119
Usar o paradoxo.. 122
Desqualificar... 125
Dividir para melhor dominar 126
Impor o próprio poder.. 128

5. A violência perversa.. 131
O ódio torna-se visível 131
A violência em ato.. 134
O outro é acuado.. 136

6. O agressor 139
A perversão narcísica 140
O narcisismo 141
A passagem à perversão 143
A megalomania.. 144
A vampirização... 146
A irresponsabilidade.. 149
A paranóia 150

7. A vítima 152
A vítima-objeto... 152
Será masoquismo? 154
Seus escrúpulos 157
Sua vitalidade... 160
Sua transparência 161

III. CONSEQÜÊNCIAS PARA A VÍTIMA E RESPONSABILIDADES

8. As conseqüências da fase de enredamento.................... 169
A renúncia 169
A confusão 170
A dúvida 171
O estresse... 172
O medo 174
O isolamento.. 175

9. As conseqüências a longo prazo 176
   O choque 176
   A descompensação 177
   A separação 180
   A evolução 181

10. Conselhos práticos no lar e na família 186
    Reconhecer 186
    Agir 188
    Resistir psicologicamente 188
    Fazer intervir a justiça 189

11. Conselhos práticos na empresa 191
    Descobrir 192
    Buscar ajuda dentro da empresa 192
    Resistir psicologicamente 193
    Agir 196
    Fazer intervir a justiça 197
    Organizar a prevenção 200

12. Assumir a responsabilidade psicológica 202
    Como curar 202
    As diferentes psicoterapias 211

Conclusão 217
Bibliografia 221

INTRODUÇÃO

Que fiz eu para merecer tamanho castigo?

"Uma palavra contundente
é algo que pode matar ou humilhar,
sem que se sujem as mãos.
Uma das grandes alegrias da vida
é humilhar seus semelhantes."

Pierre Desproges

AO LONGO DA VIDA HÁ ENCONTROS estimulantes, que nos incitam a dar o melhor de nós mesmos, mas há igualmente encontros que nos minam e podem terminar nos aniquilando. Um indivíduo pode conseguir destruir outro por um processo de contínuo e atormentante assédio moral. Pode mesmo acontecer que o ardor furioso desta luta acabe em verdadeiro assassinato psíquico. Todos nós já fomos testemunhas de ataques perversos em um nível ou outro, seja entre um casal, dentro das famílias, dentro das empresas, ou mesmo na vida política e social. No entanto, nossa sociedade mostra-se cega diante dessa forma de violência indireta. A pretexto de tolerância, tornamo-nos complacentes.

Os malefícios da perversão moral constituem excelentes temas de filmes (*As Diabólicas*, de Henri-Georges Clouzot,

1954), ou de *romans noirs* e, nestes casos, aos olhos do público, fica evidente que se trata de manipulação perversa. Mas na vida cotidiana não ousamos falar em perversidade.

No filme *Tia Daniele — perversa e perigosa*, de Étienne Chatiliez (1990), divertimo-nos com as torturas morais que uma velha senhora inflige aos que a rodeiam. Ela começa martirizando a velha empregada com que mora a ponto de levá-la à morte, "acidentalmente". O espectador diz a si mesmo: "Bem feito, quem mandou ser tão submissa!" Depois tia Daniele passa a verter sua maldade sobre a família do sobrinho, que a acolhe. O sobrinho e sua mulher fazem tudo que podem para satisfazê-la, mas quanto mais eles lhe oferecem, mais ela se vinga.

Para isso ela utiliza certo número de técnicas de desestabilização habituais nos perversos: os subentendidos, as alusões malévolas, a mentira, as humilhações. Espantamo-nos ao ver que as vítimas não tomam consciência dessa maldosa manipulação. Elas tentam compreender e sentem-se responsáveis: "Que foi que fizemos para que ela nos deteste tanto?" Tia Daniele não tem explosões de cólera, é apenas fria, má; mas não de maneira ostensiva, que poderia fazer com que os que a cercam lhe voltassem as costas; não, simplesmente com pequenos toques desestabilizadores, difíceis de serem notados. Tia Daniele é muito forte: ela reverte as situações, fazendo-se de vítima, pondo os membros de sua família na posição de perseguidores que abandonaram na solidão uma pobre velhinha de oitenta e dois anos, fechando-a em um apartamento e tendo por alimento apenas comida para cães.

Neste bem-humorado exemplo cinematográfico, as vítimas não reagem com uma passagem ao ato violento, como poderia acontecer na vida cotidiana: elas esperam que sua gentileza acabe encontrando eco e que sua agressora se enterneça. Mas é sempre o contrário que se dá, pois a gentileza excessiva é vista como uma provocação insuportável. Finalmente, a única pessoa que cai nas boas graças de Tia Daniele é uma recém-chegada que a "doma". Ela encontra, enfim, uma parceira à sua altura e uma relação quase amorosa se estabelece entre elas.

Assédio moral

Se essa velha senhora nos diverte e nos emociona tanto é porque sentimos realmente que tanta maldade só pode provir de muito sofrimento. Ela nos dá pena, tal como dá pena a sua família, e é exatamente por isso que nos manipula, tal como manipula a sua família. Nós, os espectadores, não temos a menor piedade para com as vítimas, que nos parecem muito idiotas. Quanto mais Tia Daniele se mostra má, mais os familiares se tornam solícitos e, como tais, insuportáveis, não só a Tia Daniele mas a nós mesmos.

O que não quer dizer que os ataques não sejam perversos. Essas agressões têm origem em um processo inconsciente de destruição psicológica, constituído de maquinações hostis, evidentes ou ocultas, de um ou de vários indivíduos, sobre um indivíduo determinado, que se torna um verdadeiro saco de pancadas. Por meio de palavras aparentemente inofensivas, alusões, sugestões ou não-ditos, é efetivamente possível desequilibrar uma pessoa, ou até destruí-la, sem que os que a rodeiam intervenham. O agressor – ou os agressores – pode assim enaltecer-se rebaixando os demais, e ainda livrar-se de qualquer conflito interior ou de qualquer sentimento, fazendo recair sobre o outro a responsabilidade do que sucede de errado: "Não sou eu, é ele o responsável pelo problema!" Sem culpa, sem sofrimento. Trata-se de perversidade no sentido de perversão moral.

Um processo perverso pode ser ocasionalmente utilizado por todos nós. Ele só se torna destrutivo quando usado com freqüência e com a sua repetição no tempo. Todo indivíduo "normalmente neurótico" apresenta, em determinados momentos, comportamentos perversos (por exemplo, em um momento de raiva), mas ele é também capaz de passar a outros tipos de comportamento (histérico, fóbico, obsessivo...), e a seus movimentos perversos segue-se um questionamento. Um indivíduo perverso é permanentemente perverso; ele está fixado neste modo de relação com o outro e não se questiona em momento algum. Mesmo que sua perversidade passe despercebida por algum tempo, ela se manifestará em toda situação em que ele tiver que se envolver e reconhecer sua parte de responsabilidade, pois para ele é impossível questionar-se. Tais indivíduos só podem existir "diminuindo" alguém: eles têm necessidade de rebaixar os outros para adquirir uma boa auto-estima e, com ela, obter o poder, pois são ávidos de admiração e de aprovação. Não têm a menor compaixão nem respeito pelos outros, porque não se envolvem em um relacionamento. E respeitar o outro é considerá-lo como um ser humano e reconhecer o sofrimento que lhe é infligido.

A perversão fascina, seduz e dá medo. Os indivíduos perversos costumam ser invejados, porque os imaginamos dotados de uma força superior que lhes permite saírem sempre vencedores. Realmente, eles sabem manipular com naturalidade, o que parece ser um trunfo no mundo dos negócios ou da política. São igualmente temidos, pois sabemos instintivamente que é melhor estar com eles do que contra eles. É a lei do mais forte. O homem mais admirado é aquele que sabe usufruir de tudo ao máximo e sofrer o mínimo possível. Em qualquer dos casos, fazemos pouco caso das vítimas, que passam por fracas ou pouco espertas, e, a pretexto de respeitar a liberdade do outro, podemos ser levados a ficar cegos diante de situações graves. Realmente, uma forma atual de tolerância consiste em abster-se de intervir nas ações e nas opiniões de outras pessoas, mesmo quando essas ações ou opiniões nos pareçam desagradáveis ou até moralmente censuráveis. Temos igualmente uma indulgência espantosa com relação a mentiras e manipulações dos que estão no poder. Os fins justificam os meios. Mas até que ponto isto é aceitável? Será que assim não corremos o risco de nos tornarmos cúmplices pela indiferença, perdendo nossos limites ou nossos princípios? A tolerância passa necessariamente pelo estabelecimento de limites claramente definidos. Ora, esse tipo de agressão perversa consiste justamente em uma invasão progressiva do território psíquico do outro. O contexto sociocultural atual tolera a perversão e com isso permite que ela se desenvolva. Nossa época recusa o estabelecimento de normas. Colocar um limite dando nome a uma manipulação perversa é visto

Assédio moral

como intenção de censura. Perdemos os limites morais ou religiosos que constituíam uma espécie de código de civilidade e que poderiam levar-nos a exclamar: "Isso não se faz!" E não encontramos mais nossa capacidade de indignação, a não ser depois que os fatos aparecem na cena pública, registrados e ampliados pela mídia. O poder não estabelece marcos e descarrega suas responsabilidades nos ombros daqueles a quem deveria orientar ou ajudar.

Os próprios psiquiatras hesitam em dar nome à perversão e, quando o fazem, ou é para expressar sua impotência em intervir, ou para demonstrar sua curiosidade diante da habilidade do manipulador. A própria definição de perversão moral é contestada por alguns deles, que preferem falar em psicopatia, imenso depósito em que tendem a enfiar tudo que não conseguem entender. A perversidade não provém de uma perturbação psiquiátrica e sim de uma fria racionalidade, combinada a uma incapacidade de considerar os outros como seres humanos. Um certo número desses perversos comete atos delituosos pelos quais são julgados, mas a maioria usa seu charme e suas faculdades de adaptação para abrir um caminho dentro da sociedade, deixando atrás de si pessoas feridas e vidas devastadas. Psiquiatras, juízes, educadores, todos já caímos nas armadilhas de perversos que se faziam passar por vítimas. Só nos davam a ver o que deles esperávamos, a fim de melhor nos seduzir, e quando muito lhes atribuíamos sentimentos neuróticos. Quando depois se mostraram sob sua verdadeira luz, deixando manifestos seus objetivos de poder, sentimo-nos enganados, ridículos, ou até mesmo humilhados. Isso explica a prudência dos profissionais em desmascará-los. Os psiquiatras dizem entre si: "Cuidado, é um perverso!", subentendendo "É perigoso", e também "Não podemos fazer nada". Renuncia-se, assim, a ajudar as vítimas. É evidente que nomear a perversão é algo grave, reservando-se na maior parte das vezes o termo a atos de grande crueldade, inimagináveis até para psiquiatras, como as ações de um *serial killer*. No entanto, quer se evoquem as agressões sutis de que vou falar neste livro, quer se falem de *serial killers*, trata-se de "um ato predatório", isto é, de um ato que consiste em apropriar-se da vida do outro. A palavra *perverso* choca, perturba. Corresponde a um juízo de valor, e os psicanalistas recusam-se a emitir juízos de valor. Mas será que por isso devem aceitar tudo? Não dar nome à perversão é um ato ainda mais grave, pois representa deixar a vítima desarmada, agredida e passível de ser agredida, à mercê do perverso.

Em minha prática clínica como psicoterapeuta, fui levada a compreender o sofrimento das vítimas e sua impotência em se defender. E mostrarei neste livro que o primeiro ato desses predadores consiste em paralisar suas vítimas para impedi-las de se defenderem. Depois disso, mesmo que elas tentem entender o que se passa com elas, não têm mais os instrumentos para tal. Do mesmo modo, ao analisar a comunicação perversa, tentarei demonstrar o processo que liga o agressor e o agredido, a fim de ajudar as vítimas, ou futuras vítimas, a escaparem das redes de seu agressor. Quando as vítimas querem ajuda, é comum que não sejam ouvidas. Não é raro analistas aconselharem as vítimas de um ataque perverso a verificarem até que ponto elas próprias foram responsáveis pela agressão que sofreram, até que ponto inclusive a desejaram, mesmo inconscientemente. Na realidade, a psicanálise considera apenas o intrapsíquico, isto é, o que se passa na cabeça de um indivíduo, e não leva em conta todo o seu ambiente. Ignora, então, o problema da vítima, que é considerada como cúmplice masoquista. Quando, apesar de tudo, terapeutas tentam ajudar as vítimas, pode acontecer que, com sua hesitação em nomear o agressor e o agredido, reforcem a culpa da vítima e, com isso, agravem seu processo de destruição. A meu ver, os métodos terapêuticos clássicos não são suficientes para ajudar este tipo de vítima. Gostaria, então, de propor instrumentos mais adequados, que levem em conta a especificidade da agressão perversa.

Não se trata de abrir um processo contra os perversos – que, aliás, se defendem muito bem sozinhos –, e sim de levar em conta sua nocividade, sua periculosidade para com o outro, a fim de permitir que vítimas e futuras vítimas se defendam. Mes-

Assédio moral   **15**

mo considerando, corretamente, a perversão como um mecanismo de defesa (defesa contra a psicose ou contra a depressão), não se justificam os perversos por isso. Há manipulações sem maior importância, que deixam apenas um rastro de amargura, ou de vergonha por ter sido enganado, mas há também manipulações muito mais graves, que atingem a própria identidade da vítima e são questões de vida ou de morte. Temos que ter consciência de que os perversos são diretamente perigosos para suas vítimas, mas também, indiretamente, para todos que os rodeiam, levando-os a perder seus referenciais e a crer que é possível ter acesso a um modo de pensar mais livre às custas do outro.

Manter-me-ei, neste livro, fora das discussões teóricas sobre a natureza da perversão para concentrar-me, deliberadamente, enquanto vitimóloga, do lado da pessoa agredida. A vitimologia é uma disciplina recente nos Estados Unidos, e inicialmente era apenas mais um ramo da criminologia. Ela consiste na análise das razões que levam um indivíduo a tornar-se vítima, dos processos de vitimização, das conseqüências que isso traz para ele e dos direitos que pode reivindicar. Na França, existe formação para esta especialidade desde 1994, levando a um diploma universitário. Esta formação destina-se aos médicos de emergência, aos psiquiatras e psicoterapeutas, aos juristas, bem como a toda e qualquer pessoa que tenha como responsabilidade profissional ajudar as vítimas. Uma pessoa que tenha sofrido uma agressão psíquica como a do assédio moral é realmente uma vítima, pois seu psiquismo é alterado de maneira mais ou menos duradoura. Mesmo quando sua maneira de reagir à agressão moral contribui para estabelecer com o agressor uma relação auto-alimentada e que dá a impressão de ser "simétrica", não devemos esquecer que essa pessoa sofre uma situação pela qual não é responsável. Se por acaso as vítimas dessa insidiosa violência chegam a fazer uma consulta de psicoterapia individual, são a isso levadas por inibição intelectual, falta de autoconfiança, dificuldade de auto-afirmação, ou por um estado depressivo permanente, resistente a antidepressivos, ou mesmo por um estado depressivo mais declarado, que pode levar ao suicídio. Embora as vítimas por vezes se queixem de seu parceiro(a) ou daqueles com quem convivem, é raro terem consciência de que existe essa temível violência subterrânea, e que ousem queixar-se dela. A confusão psíquica que se instalou previamente pode fazer até mesmo o psicoterapeuta esquecer que se trata de uma situação de violência objetiva. O denominador comum de tais situações é que é indizível: a vítima, mesmo reconhecendo seu sofrimento, não ousa verdadeiramente imaginar que tenha havido violência e agressão. Não raro persiste a dúvida: "Será que não sou eu que estou inventando tudo isso, como alguns já me disseram?" Quando ousa se queixar do que acontece, ela tem sempre a sensação de descrevê-lo mal, e, portanto, de não ser compreendida.

Escolhi deliberadamente usar os termos *agressor* e *agredido* porque se trata de violência declarada, mesmo quando oculta, que tende a dirigir seu ataque à identidade do outro e a dela extrair toda individualidade. É um processo real de destruição moral, que pode levar à doença mental ou ao suicídio. Manterei igualmente a denominação de *perverso*, porque ela remete claramente à noção de abuso, como se dá com todos os perversos. Abuso que começa com um abuso de poder, prossegue com um abuso narcísico – no sentido de que o outro perde totalmente a auto-estima – e pode chegar por vezes a um abuso sexual.

I

A violência perversa no cotidiano

PEQUENOS ATOS PERVERSOS SÃO TÃO COR-
RIQUEIROS que parecem normais. Começam com uma simples
falta de respeito, uma mentira ou uma manipulação. Não
achamos isso insuportável, a menos que sejamos diretamente
atingidos. Se o grupo social em que tais condutas aparecem não
se manifesta, elas se transformam progressivamente em condutas
perversas ostensivas, que têm conseqüências graves sobre a saúde
psicológica das vítimas. Não tendo certeza de serem compreendidas, estas se calam e sofrem em silêncio.

Essa destruição moral sempre existiu, quer nas famílias, onde
permanece oculta, quer nas empresas, onde as pessoas não a leva-
vam em conta na época de muita oferta de emprego porque as
vítimas tinham a possibilidade de trocar por outro. Hoje, elas se
agarram desesperadamente ao seu trabalho, em detrimento de
sua saúde, tanto física quanto psíquica. Algumas se revoltaram e
tentaram abrir processos, e o fenômeno começa a ser trazido à
mídia, o que vem levando a própria sociedade a questionar-se.

É comum, em nossa prática terapêutica, sermos testemunhas de histórias de vida em que a realidade exterior pouco se
distingue da realidade psíquica. O que chama a atenção em
todos esses relatos de sofrimentos é que eles são recorrentes. O
que alguém poderia julgar ser um caso único está, na realidade,
sendo vivido igualmente por inúmeros outros.

A dificuldade nas transcrições de casos clínicos reside no fato de que cada palavra, cada inflexão, cada alusão tem importância. Cada detalhe, se considerado isoladamente, parece insignificante, mas é o seu conjunto que cria um processo destrutivo. A vítima é envolvida nesse jogo mortífero e pode, por sua vez, reagir de maneira perversa, pois esse modo de relação pode ser utilizado por qualquer um de nós com objetivo de defesa. É o que leva, erradamente, à enunciação de uma cumplicidade da vítima com seu agressor.

Tive ocasião de ver, no decurso de minha prática clínica, que um mesmo indivíduo perverso tende a reproduzir seu comportamento destruidor em todas as circunstâncias de sua vida: em seu lugar de trabalho, com o cônjuge, com os filhos, e é esta manutenção de um mesmo comportamento que desejo aqui enfatizar. Surgem, assim, indivíduos que deixam seu caminho juncado de cadáveres ou de mortos-vivos. O que não os impede de fazerem passar gato por lebre e de parecerem inteiramente adaptados à sociedade.

1

A VIOLÊNCIA PRIVADA

A violência perversa entre casais

A VIOLÊNCIA PERVERSA ENTRE CASAIS É MUITAS VEZES negada ou banalizada, reduzida a uma simples relação de dominação. Uma simplificação psicanalítica consiste em considerar o parceiro cúmplice ou até mesmo responsável pela relação perversa. Isto é negar a dimensão do domínio que paralisa a vítima e a impede de defender-se, e mais, negar a violência dos ataques e a gravidade da repercussão psicológica da perseguição movida contra a vítima. As agressões são sutis, não há vestígios tangíveis, e as testemunhas tendem a interpretar como simples relações conflituais ou passionais entre duas pessoas de personalidade forte o que, na verdade, é uma tentativa violenta de destruição moral ou até física do outro, não raro bem-sucedida.

Vou descrever inúmeros casais em diferentes estágios de evolução da violência perversa. A desigual extensão de meus relatos deve-se ao fato de que este processo se desenrola durante meses ou até anos, e que, à medida que a relação evolui, as vítimas aprendem, primeiro, a reconhecer o processo perverso; depois, a defender-se e a acumular as provas.

O enredamento

Entre casais, o movimento perverso instala-se quando o afetivo falha, ou então quando existe uma proximidade excessivamente grande com o objeto amado.

Excesso de proximidade pode dar medo e, exatamente por isso, o que vai ser objeto da maior violência é o que há de mais íntimo. Um indivíduo narcisista impõe seu domínio para controlar o outro, pois teme que, se o outro estiver demasiado próximo, possa vir a invadi-lo. Trata-se, portanto, de mantê-lo em uma relação de dependência, ou mesmo de propriedade, para comprovar a própria onipotência. O parceiro, mergulhado na dúvida e na culpa, não consegue reagir.

A mensagem não-dita é: "Eu não te amo!", mas ela permanece oculta para que o outro não vá embora, e atua sobre ele de maneira indireta. O parceiro tem que continuar presente, para ser permanentemente frustrado; ao mesmo tempo, é preciso impedi-lo de pensar, para que ele não tome consciência do processo. Patricia Highsmith o descreveu em uma entrevista ao jornal *Le Monde*: "Acontece por vezes que as pessoas que mais nos atraem, ou pelas quais nos apaixonamos, agem com tanta eficácia quanto isoladores de borracha sobre a faísca da imaginação."

O enredamento é posto em ação por um indivíduo narcisista que quer paralisar seu parceiro, colocando-o em uma posição de indefinição e incerteza. Isto lhe permite escapar de envolver-se em um relacionamento de casal, que lhe dá medo. Com este processo, ele mantém o outro a distância, dentro de limites que não lhe parecem perigosos. Como ele não quer ser invadido pelo outro, ele o faz, assim, passar por aquilo que ele próprio não quer sofrer, abafando-o e mantendo-o "à sua disposição". Em um casal que funcione normalmente, deve haver um reforço narcísico recíproco, mesmo existindo elementos ocasionais de influência. Pode suceder que um procure "apagar" o outro, para ficar bem seguro de que mantém a posição dominante no casal. Mas um casal conduzido por um perverso narcisista constitui uma associação mortífera: o denegrimento, os ataques subterrâneos são sistemáticos.

Assédio moral **23**

Esse processo só se torna possível devido à excessiva tolerância do parceiro. Esta tolerância é muitas vezes interpretada pelos psicanalistas como a necessidade de benefícios inconscientes, essencialmente masoquistas, que ele obtém com tais laços. Como veremos, essa interpretação é parcial, pois alguns desses cônjuges não haviam manifestado tendências autopunitivas antes e não irão manifestá-las depois, além de ser perigosa, pois ao reforçar a culpa do parceiro ela não o ajuda, em absoluto, a encontrar os meios de sair de sua situação de opressão.

A origem dessa tolerância pode ser encontrada, na maior parte das vezes, em uma lealdade familiar que consiste, por exemplo, em reproduzir o que um dos pais viveu, ou então na aceitação de um papel de pessoa reparadora para o narcisismo do outro, uma espécie de missão, na qual ela teria que se sacrificar.

Benjamin e Annie se conheceram há dois anos. Annie estava então envolvida em uma frustrante relação com um homem casado, de quem Benjamin tem ciúmes. Apaixonado, ele suplica que ela termine aquela relação: quer desposá-la e ter filhos com ela. Annie rompe a relação sem maiores hesitações e vai viver com ele, mantendo, porém, seu apartamento.

É a partir desse momento que o comportamento de Benjamin muda. Torna-se distante, indiferente, só tendo algum gesto mais terno quando ligado a uma demanda sexual. Annie a princípio pede explicações, mas Benjamin nega que tenha havido mudança em seu comportamento. Como não gosta de conflitos, ela se esforça por parecer alegre, mesmo arriscando-se a perder toda a espontaneidade. Se ela fica nervosa, ele parece não compreender e não reage.

Pouco a pouco ela vai ficando deprimida.

Como a relação não melhora e Annie se espanta cada vez mais com a rejeição de Benjamin, ele acaba reconhecendo que alguma coisa aconteceu: é que ele simplesmente não suportara vê-la deprimida. Ela decide, então, tratar da própria depressão, que parece ser a causa das dificuldades do casal, e começa uma psicoterapia. Annie e Benjamin têm a mesma profissão. Ela tem muito mais experiência que ele. Muitas vezes ele lhe pede conselhos, mas recusa toda e qualquer crítica: "Ah, isso não quer dizer nada, já estou farto disso, eu não sei do que você está falando!" Inúmeras vezes ele se apropriou das idéias dela, mas sempre negando sua ajuda. E nunca lhe agradece por nada.

Se ela lhe aponta um erro, ele se justifica dizendo que com certeza foi sua secretária que anotou errado. Ela finge acreditar para evitar maiores discussões.

Ele mantém o maior mistério sobre como emprega seu tempo, sobre sua vida, seu trabalho. Ela fica sabendo por acaso, pelos amigos que lhe dão parabéns, que Benjamin acaba de conseguir uma promoção importante. Ele mente seguidamente para ela, diz que voltará de uma viagem de negócios em tal trem, quando o bilhete da passagem que ele esquece em algum lugar mostra que a informação é falsa.

Em público, ele se mostra distante. Um dia, em um coquetel, ele vem em sua direção e aperta-lhe a mão: "Senhorita X., que faz tal trabalho", e rapidamente a deixa ali plantada, sozinha. Quando ela lhe pede explicações, ele balbucia qualquer coisa a respeito de estar muito ocupado.

Censura-lhe pelo dinheiro que ela gasta, mesmo ganhando ela a própria vida, pois ele gostaria que ela não tivesse quase nada em seus armários, e obriga-a a enfileirar seus sapatos, como uma garotinha. Em público, debocha de seus potes de creme no banheiro: "Eu não sei por que você põe todas essas porcarias na cara!"

E Annie começa a perguntar-se como é que ela poderia ser carinhosa com um homem que calcula tudo: seus gestos, suas palavras, seu dinheiro. Ele não tolera que lhe falem do casal: "A palavra *casal* é gozação." E recusa-se a assumir qualquer compromisso com ela. Um dia um palhaço os faz parar na rua para mostrar um número de mágica, e diz a Benjamin: "É sua mulher, não é?" Benjamin não responde nada e tenta escapulir. Segundo Annie, "ele não pôde res-

Assédio moral

ponder nada porque ainda não tinha pensado a esse respeito. Eu não sou sua mulher, nem sua noiva, nem sua namorada. Não se pode dizer nada a esse respeito porque é um assunto muito sério".

Se ela insiste em falar deles, ele responde: "Não vai dizer que você acha que agora é o momento de falar dessas coisas!"

Outros assuntos são igualmente ferinos, como, por exemplo, seu desejo de ter filhos. Quanto eles encontram amigos que têm filhos ela se esforça em não demonstrar muito entusiasmo diante dos bebês, pois isto poderia fazer Benjamin pensar que ela está querendo um. Assume, então, um ar neutro, como se isso não fosse algo importante.

Benjamin tenta controlar Annie. Quer que ela seja uma mulher independente, que não conte com ele financeiramente, mas ao mesmo tempo quer que ela se submeta, do contrário sente-se angustiado e a rejeita.

Durante o jantar, quando ela fala, ele ergue os olhos com um ar de enfado. No início, ela dizia a si mesma: "Vai ver eu disse alguma coisa idiota, com certeza!" E progressivamente foi-se censurando.

Porém, a partir do momento em que iniciou sua psicoterapia, ela aprendeu a não aceitar que ele criticasse *a priori* tudo que ela dissesse, mesmo que isso provocasse tensão.

Entre eles não há discussões, apenas briguinhas, quando ela já não agüenta mais, quando uma gota d'água faz transbordar o copo. Mas em tais casos, ela se enerva sozinha. Benjamin assume um ar espantado e diz: "Você vai se queixar de mim, de novo! Claro, pra você tudo é culpa minha!" Ela tenta justificar-se: "Não estou dizendo que a culpa é sua, eu só quero conversar para vermos o que há de errado!" Ele parece não compreender, e consegue sempre fazer com que ela duvide de si mesma, levando-a a sentir-se culpada. Perguntar-se a respeito do que não vai bem entre eles é o mesmo que dizer: "A culpa é sua." Ele não quer ouvir e encerra o assunto, ou melhor, tenta escapar com uma pirueta antes mesmo de ela começar.

"Eu gostaria que ele me dissesse do que é que ele não gosta em mim, isto possibilitaria uma discussão!"

Pouco a pouco pararam de falar de política, pois quando ela argumentava ele lamentava que ela não tivesse o mesmo ponto de vista que ele. Deixaram também de falar dos sucessos profissionais de Annie: Benjamin não agüentava algo que lhe pudesse fazer sombra.

Annie tem consciência de ter renunciado a ter opiniões próprias, à sua individualidade, porque ela teme que as coisas possam ir de mal a pior. E isso a leva a fazer seguidamente esforços para que o cotidiano seja suportável.

Às vezes ela reage e ameaça ir embora. Ele a retém com um discurso ambíguo: "Eu quero que nosso relacionamento continue / Mas não posso lhe dar mais do que isso por enquanto."

Ela fica na expectativa de que o menor sinal de reaproximação lhe renove as esperanças.

Annie percebe claramente que essa relação não é normal, mas, tendo perdido todo e qualquer referencial, sente-se obrigada a proteger e desculpar Benjamin, faça ele o que fizer. Ela sabe que ele não vai mudar: "Ou eu me adapto, ou saio fora!"

No plano sexual as coisas não vão melhor, pois Benjamin não mostra mais desejo de fazer amor. Ela tenta às vezes falar disso:

"Não podemos continuar vivendo assim!"

"Mas isso é assim, não se pode fazer amor obrigado."

"Então o que é que podemos fazer? O que é que eu posso fazer?"

"Não há solução para tudo! Você quer ditar as regras em tudo!"

Quando ela se chega a ele para abraçá-lo mais carinhosamente, ele lhe dá uma lambidinha no nariz. Se ela protesta, ele faz ver que, decididamente, ela não tem o menor senso de humor.

O que é que prende Annie?

Se Benjamin fosse um monstro declarado, seria mais simples. Mas ele foi um amante carinhoso. Se ele está assim, é porque ele está mal. Portanto, ele pode mudar. Ela pode fazê-lo mudar. Ela fica na expectativa dessa mudança. Tem esperança de que um dia o nó desate e eles possam, enfim, comunicar-se.

Ela se sente responsável pela mudança da Benjamin: é que ele não suportava vê-la deprimida. Sente-se igualmente culpada de não ter sido suficientemente sedutora (ele havia gracejado um dia sobre a maneira de ser pouco *sexy* de Annie), ou suficientemente boa (ele havia feito alusão ao fato de ela não ser generosa) para satisfazer Benjamin.

Ela disse a si mesma, também, que ficar com ele, mesmo em um relacionamento insatisfatório, ainda seria melhor do que ficar sozinha, pois Benjamin lhe havia dito: "Se nós nos separarmos, eu encontrarei rapidamente alguém, mas você, com seu gosto pela solidão, vai é ficar sozinha mesmo!" E ela acreditara. Mesmo sabendo-se muito mais sociável do que ele, ela imagina que, sozinha, ficará deprimida, ruminando suas mágoas.

O que ela também sabe é que seus pais eram, por sua vez, um casal que não vivia bem, mas que ficou junto por obrigação. Em sua casa a violência foi uma constante, mas subterrânea, pois era uma família em que as coisas nunca eram ditas.

A violência

A violência perversa surge nos momentos de crise, quando um indivíduo que tem defesas perversas não consegue assumir a responsabilidade de uma escolha difícil. Ela é, então, indireta, essencialmente no não-respeito ao outro.

Monique e Luciano estão casados há trinta anos. Luciano tem um caso há seis meses, que anuncia a Monique dizendo que não consegue escolher. Ele deseja manter o casamento com ela, mantendo também paralelamente este outro relacionamento. Monique recusa com determinação. Ele vai embora.

A partir de então, Monique vai a pique. Chora o tempo todo, não consegue dormir, não come. Apresenta manifestações psicossomáticas de angústia: sensação de suores frios, bolo no estômago, taquicardia... Ela sente raiva, mas não de seu marido, que a faz sofrer, e sim dela mesma, por não ter sabido retê-lo. Se ela pudesse sentir raiva de seu marido ser-lhe-ia mais fácil defender-se. Mas, para poder sentir essa raiva, ela precisa conseguir dizer a si mesma que o outro é agressivo e violento, o que pode levá-la a não o querer de volta. É mais fácil, quando se está em estado de choque, como acontece com Monique, negar a realidade dos fatos e permanecer à espera, mesmo sendo essa espera feita de sofrimento.

Luciano pede a Monique que continue a almoçar com ele regularmente, para manterem a ligação, do contrário ele poderia vir a partir definitivamente. Se ela se afastar dele, ele a esquecerá. Mas se ela se mostra deprimida, ele não tem vontade de ficar com ela. Seguindo os conselhos de seu psicanalista, ele chegou a propor a Monique que se encontrassem com a namorada dele, a fim de que "todo mundo se comunique"! Nem por um instante ele parece ter parado para pensar a respeito do sofrimento de sua mulher. Ele simplesmente diz que já está farto de vê-la com aquela cara de cadáver. Ao culpar a esposa, que não faz o que deveria para ficar com ele, Luciano livra-se da responsabilidade quanto à decisão de se separarem.

A recusa à responsabilidade por um fracasso conjugal está muitas vezes na origem de uma gangorra perversa. Um indivíduo, tendo um forte ideal de casal, apresenta relações aparentemente normais com sua parceira, até o dia em que ele tem que fazer uma escolha entre esse relacionamento e um novo encontro. A violência perversa será tanto mais forte quanto maior for o ideal de casal. Não lhe é possível aceitar essa responsabilidade, que tem que ser atribuída inteiramente ao outro. Se há um retrocesso no amor, a parceira é que é considerada responsável, por alguma falta que teria cometido e que não é dita. Esse retrocesso no amor, na maior parte das vezes, é verbalmente negado, mesmo quando existente na prática.

A tomada de consciência da manipulação só consegue pôr a vítima em terrível estado de angústia, de que não consegue se libertar por não ter sequer interlocutor. Além da raiva, as vítimas neste estágio vivenciam a vergonha: vergonha de não terem sido amadas, vergonha de terem aceitado essas humilhações, vergonha de haver suportado o que suportaram.

Às vezes não se trata de um movimento perverso eventual, e sim da revelação de uma perversidade até então escondida. O ódio que estava mascarado vem à tona, de forma muito semelhante a um delírio de perseguição. Os papéis são assim invertidos: o agressor torna-se o agredido e a culpa permanece sempre do mesmo lado. Para que isso possa ter credibilidade, é preciso desqualificar o outro, empurrando-o para um comportamento repreensível.

Ana e Paulo, ambos arquitetos, conheceram-se no trabalho. Em pouco tempo Paulo decide instalar-se na casa de Ana, mas o faz de modo a permitir-se manter certa distância afetiva, para não se comprometer realmente: recusa as palavras ternas, os gestos de carinho em público, ridicularizando os namorados que andam de mãos dadas.

Paulo tem grande dificuldade em expressar qualquer coisa de pessoal. Dá a impressão de estar permanentemente fazendo piadas, ironizando a respeito de tudo, levando tudo na brincadeira. Essa estratégia permite-lhe esconder-se e não se envolver em nada.

Mantém igualmente um discurso extremamente misógino: "As mulheres são castradoras, fúteis, insuportáveis, mas não se pode passar sem elas!"

Ana julga que a frieza de Paulo é apenas timidez, que sua rigidez é força, e seus subentendidos uma demonstração de sabedoria. Ela crê que seu amor o levará a ficar mais terno, que, uma vez reassegurado pela vida de casal, ele se mostrará menos rude.

Entre Ana e Paulo estabelece-se uma regra implícita de que não deve haver demonstração excessiva de intimidade. Ana aceita essa regra, dá-lhe uma justificativa e, por conseguinte, a endossa. Sendo seu o desejo de estabelecer uma relação mais íntima e mais forte que a de Paulo, é a ela que cabem os esforços necessários para que o relacionamento prossiga. Paulo justifica sua rigidez falando de uma infância difícil, mas deixando pairar um certo mistério ao trazer informações, que são parciais ou até contraditórias: "Ninguém cuidava de mim quando eu era pequeno. Se minha avó não me tivesse acolhido..." ou "Meu pai talvez nem seja meu pai!"

Ao apresentar-se desde o primeiro momento como uma vítima, Paulo leva Ana a ter pena dele e a manifestar para com ele mais interesse, ou maior indulgência. Ela, que tinha enorme necessidade de ser reparadora, vê-se rapidamente seduzida por esse garoto que precisa ser consolado.

Ele é dessas pessoas que "sabem". Tem opiniões radicais sobre tudo: a política, o futuro da humanidade, quem é idiota e quem não é, o que é preciso fazer ou não fazer... Na maior parte das vezes ele se contenta em sugerir que sabe, começando uma frase que deixa em suspenso, ou então balançando simplesmente a cabeça, em silêncio.

Com enorme habilidade, ele serve de espelho às inseguranças de Ana. Ana é uma pessoa que tem dúvidas. Não estando segura de si, ela não julga os outros; pelo contrário, façam o que fizerem, ela encontra para eles circunstâncias atenuantes. Procura sempre matizar suas opiniões, o que Paulo chama de "complicar a vida". Pouco a pouco, Ana apaga na presença de Paulo suas principais asperezas para ficar mais de acordo com o que ele espera dela, ou melhor, com o que ela crê que ele espera dela. Ela evita insistir e modifica seus hábitos.

Seu encontro dá-se, então, sempre sobre o seguinte eixo:

Assédio moral

ele sabe – ela duvida. Ela considera tranqüilizador apoiar-se nas certezas de um outro. Ele a julga dócil e pronta a aceitar suas certezas.

Desde o início do relacionamento Paulo se mostrara bastante crítico em relação a Ana. Ele procede por pequenos toques desestabilizadores, de preferência em público, em um momento em que ela não pode responder nada. Quando ela tenta voltar a falar sobre o assunto mais tarde, ele lhe diz friamente que ela é rancorosa e que faz tempestade em copo d'água. Tudo parte, por exemplo, de alguma coisa insignificante, ou até de alguma coisa íntima, que Paulo descreve com exagero, tomando às vezes a platéia como aliada: "Vocês sabiam que Ana ouve umas musiquinhas ridículas?"; ou "Vocês nem imaginam o que ela gasta de dinheiro comprando cremes para enrijecer seios que praticamente nem existem!"; ou "Ela não compreende isso! Embora seja algo que qualquer um seja capaz de compreender!"

Se saem para um fim de semana com amigos, ele exibe a mochila de Ana, dizendo: "Ela acha que estou de mudança! Só faltou trazer a banheira!"

E se Ana protesta: "Que é que você tem com isso? Sou eu que carrego a minha mochila", Paulo replica: "Sim, mas se você ficar cansada eu que vou ter que carregá-la, sob pena de passar por um brutamontes. Você não precisava trazer três estojos de batom e dois de refil!"

E em seguida generaliza, falando da hipocrisia das mulheres, que obrigam os homens a intervirem para ajudá-las.

O que importa é criar embaraço para Ana. Ela percebe a hostilidade, mas sem muita certeza, pois Paulo diz tudo com um tom entre alegre e descontente, parecendo gracejar. A hostilidade também não é necessariamente percebida pelos que os rodeiam, e Ana não pode responder sem dar a impressão de que não tem senso de humor.

Paulo é ainda mais crítico quando Ana fica em posição de superioridade, como, por exemplo, quando alguém lhe faz um elogio. Ela sabe perfeitamente que ele é complexado devido ao fato de ela ser extremamente sociável e também por ser mais bem-sucedida profissionalmente e ganhar mais do que ele. Quando a critica, ele sempre acrescenta: "Isso não é uma observação, é uma constatação."

A violência vai aparecer abertamente quando Paulo decide instalar-se como profissional liberal, juntamente com uma jovem sócia. Suas manobras para desestabilizar Ana tornam-se então mais ostensivas.

Manifestam-se, de início por um permanente mau humor, que ele justifica falando de problemas de organização e preocupações financeiras. Na maior parte das vezes Paulo volta à noite para casa bem antes de Ana e instala-se com um copo diante da televisão. Quando Ana entra, ele não responde seu cumprimento, mas pergunta sem virar a cabeça: "Que é que tem pra comer?" (O que é uma manobra clássica no sentido de transferir o mau humor para o outro.) Não faz reclamações diretas, mas solta apenas uma pequena frase sem importância, que se tem que interpretar, pois é dita em tom de reclamação. Se Ana tenta explicitar o que acaba de ser dito, ele foge e nega qualquer intenção agressiva.

E põe-se a chamá-la de "madame". Quando ela se queixa disso, ele muda o tratamento para "madame gordona", dizendo: "Como você não é gorda, não pode dizer que isso é com você!"

Ao tentar expressar o que sente, Ana vê-se diante de uma parede. Ele bloqueia, ela insiste, ele se torna ainda mais duro. Ela acaba infalivelmente irritando-se e Paulo pode então demonstrar-lhe que ela não passa de uma megera agressiva. Ela não consegue nunca chegar a ter o distanciamento suficiente para desarmar uma violência que não consegue compreender.

Diferentemente das clássicas cenas domésticas, não há realmente uma briga, mas não há igualmente reconciliação possível. Paulo não eleva nunca o tom, manifesta apenas uma fria hostilidade, que ele nega quando lhe é apontada. Ana, diante dessa impossibilidade de diálogo, fica nervosa e

Assédio moral   **33**

grita. Ele, então, debocha de sua raiva: "Calma, meu amorzinho!", e ela se sente ridícula.

A parte mais importante da comunicação se dá nos olhares. Olhares de ódio por parte de Paulo, olhares de queixa e de medo por parte de Ana.

O único fato concreto é a rejeição sexual de Paulo. Quando ela lhe pede para conversarem sobre o assunto, nunca é o momento adequado: à noite ele está exausto, de manhã está com pressa, durante o dia tem sempre qualquer coisa a fazer. Ela decide cercá-lo, convidando-o a irem a um restaurante. Lá, quando ela começa a falar o que está sentindo, Paulo a interrompe imediatamente, com um tom de gélida fúria: "Você não vai querer fazer uma cena num restaurante, sobretudo com um assunto assim. Decididamente, você não sabe se comportar!".

Ana começa a chorar, o que o deixa fora de si: "Você não passa de uma depressiva, que fica resmungando o tempo todo!"

A seguir, ele começa a justificar-se em outros termos: "Como é que eu posso fazer amor com você, você é um pavor, uma megera castradora!"

Mais adiante, ele chega até a roubar uma agenda profissional que é essencial à contabilidade dela. Ana começa procurando por ela, depois pergunta a Paulo se a viu: ninguém mais entrou no aposento em que ela tem certeza de tê-la deixado. Paulo responde que não viu e que ela devia cuidar melhor de suas coisas. Seu olhar está de tal forma carregado de ódio que ela se sente gelada de pavor, e perplexa. Compreende que foi mesmo ele quem a roubou, mas tem muito medo da violência manifesta que pode vir à tona se ela insistir.

O que é terrível é que ela não compreende. E busca explicações: será que ele quer prejudicá-la diretamente, dado o problema que isso pode causar-lhe? Será que é inveja? Ou necessidade de comprovar que ela trabalha mais do que ele?

Ou será que ele espera encontrar nessa agenda alguma falha que possa depois usar contra ela?

O que ela sente, e não tem a menor dúvida a respeito, é que é algo malévolo. Esse pensamento é tão terrível que ela o expulsa, recusando-se a crer nisso; e o medo se transforma na angústia física que ela experimenta todas as vezes em que cruza com esse tipo de olhar em Paulo.

Nesse estágio, Ana sente nitidamente que Paulo quer acabar com ela. Em vez de pôr arsênico em pequenas doses em seu café, como nos romances policiais ingleses, ele tenta quebrá-la psicologicamente.

Para não ser atingido pelo sofrimento de Ana, ele a coisifica. Olha-a friamente, sem a menor emoção. Então suas lágrimas, evidentemente, lhe parecem ridículas. O que Ana vai percebendo é que ela não existe para Paulo. Seu sofrimento e suas lágrimas não são compreendidos, ou, mais exatamente, não existem. Essa incapacidade de diálogo desencadeia nela cóleras terríveis que, não podendo ser descarregadas, transformam-se em angústia. Ela tenta, então, dizer que prefere uma separação a esse sofrimento cotidiano, mas só consegue abordar o assunto nos momentos de crise, quando, diga ela o que disser, de qualquer modo não é ouvida. O restante do tempo, ela suspende a respiração para não introduzir uma tensão suplementar exatamente nos momentos em que a vida parece suportável.

Escreve então a Paulo. Tenta fazê-lo compreender seu sofrimento diante dessa situação e seu desejo de encontrarem uma solução. Da primeira vez, tendo colocado a carta sobre a escrivaninha de Paulo, ela espera que ele lhe fale a respeito. Como ele não diz nada, ela ousa perguntar o que ele pensou. Ele responde friamente: "Não tenho nada a dizer sobre isso!" Ana diz a si mesma que talvez não tenha sido suficientemente clara. E escreve uma carta mais longa, que ela encontra em sua cesta de papéis no dia seguinte. Ela tenta, irritando-se cada vez mais, obter explicações. Ele retruca que não tem nada a responder a uma exaltada como ela.

Assédio moral

Faça o que fizer, Ana não é ouvida. Será que sua linguagem não é adequada? A partir desse dia, ela faz uma fotocópia das cartas que lhe manda.

Paulo mostra-se impermeável ao sofrimento de Ana, ele sequer a vê. A situação é intolerável para Ana que, angustiada, fica ainda mais desconcertada. Seus erros são interpretados como faltas que devem ser corrigidas – o que justifica a violência. Ela é simplesmente perigosa para ele. Tem então que ser "dobrada".

Diante dessa violência recíproca, a reação de Paulo é evitá-la, e a de Ana é uma tentativa estereotipada de diálogo. Ela toma então a decisão de separar-se dele.

"Se é que estou entendendo, você está me pondo pra fora sem um tostão!"

"Eu não estou pondo você pra fora, só estou dizendo é que não agüento mais esta situação. Você não fica sem um tostão, você trabalha, como eu, e quando fizermos a partilha, você terá a metade de nossos bens."

"E pra onde eu vou? Decididamente, você é muito má! Por sua causa eu vou ser obrigado a viver em uma espelunca!"

Ana se culpa, dizendo que, se Paulo se mostra tão violento, é porque ele não consegue se separar dos filhos.

Depois da separação, quando voltam do primeiro fim de semana com o pai, ela os encontra na rua. E eles dizem que passaram um dia ótimo com Sheila, a sócia de seu pai. Ela vê então um sorriso de triunfo no rosto de Paulo, que ela não compreende de imediato.

Em casa, os filhos querem contar-lhe como o pai é carinhoso. Passou o dia todo beijando Sheila na boca e bolinando-lhe os seios e as nádegas. Não tendo coragem de anunciar a Ana que agora tem uma namorada, ele continua a fazer passar suas mensagens de maneira indireta, servindo-se dos filhos. Pelo que deixa entrever de sua intimidade com Sheila, ele sabe que vai suscitar o ciúme de Ana, mas estará distante e não terá que temer as reclamações que ela poderia, com razão, fazer. Coloca, assim, as crianças em primeiro plano, para absorver a tristeza ou o rancor da mãe, não manifestando o menor respeito, nem pela mãe, nem pelas crianças. Ana vai perdendo pé. Quanto mais ela se debate, mais se afunda. Oscilando entre a angústia e a raiva, não podendo fazer nada nem dizer nada, ela teme fazer qualquer coisa. Diante da intensidade de sua dor, não luta mais, deixa-se levar, submergir.

Para os amigos e a família, Paulo faz com que achem que Ana o pôs pra fora de casa e que isso está sendo material e financeiramente muito duro para ele. Recusando o papel de má que ele quer fazê-la assumir, Ana busca justificar-se, retomando um processo que já não havia funcionado quando eles ainda estavam juntos, ou seja, escrever-lhe e explicar o que ela sente. Tendo muito medo de atacar Paulo diretamente, ela joga a falha sobre sua amante, Sheila, que se aproveitou de um pobre homem em crise conjugal para seduzi-lo.

Com essa interpretação ela cai na armadilha de Paulo, que tenta manter-se fora do campo da raiva ou do ódio. Ele escapa e põe as duas rivais frente a frente, em vez de assumir a situação. Ana continua sempre dócil e protetora, e evita o confronto com Paulo.

Uma única vez ela ousa atacá-lo diretamente. Vai à casa dele, força a entrada e diz tudo que ela não tinha tido oportunidade de dizer. É sua única verdadeira cena doméstica, sua única confrontação com Paulo: "Você é louca, e não se fala com loucos!" Quando Paulo quer fazê-la sair dali à força, ela o agarra e depois vai embora chorando. Evidentemente, essa cena será imediatamente usada por Paulo contra Ana. Ela recebe uma advertência de seu advogado e Paulo diz por toda parte que Ana é louca e violenta. Ela recebe censuras até da mãe de Paulo: "Minha Aninha, você tem que ficar calma, seu comportamento é inadmissível!"

Os advogados de Ana e Paulo negociam para realizar a partilha dos bens. Ana escolhe um advogado que ela sabe não ser polêmico, tendo em mente que ela tem que tranqüilizar

Assédio moral 37

Paulo para que ele não entre em um processo muito longo. Em sua vontade de ser conciliadora, ela nem discute, mas com isso se mostra todo-poderosa e, portanto, ainda mais ameaçadora.

Quando estava decidido que seria feito um inventário, Ana fica sabendo, por acaso, pouco antes das férias, que Paulo esvaziou a casa de campo. Deixou apenas uns poucos móveis pertencentes à família de Ana e as camas das crianças. Ela abaixa os braços, acreditando que, estando resolvidas as coisas materiais, Paulo cessaria de agredi-la. Mas nem por isso ele pára.

Ela passa a receber, nas trocas de correspondência a respeito das crianças, observações indiretas de Paulo pondo em questão sua honestidade. No primeiro momento ela se justifica, explicando que tudo foi negociado pelos advogados e feito diante de tabeliães; depois ela compreende que nada disso adianta, que ela tem é que ser culpabilizada de alguma coisa. Um dia, um de seus filhos lhe diz: "Papai falou pra todo mundo que você tomou tudo dele, e vai ver isso é verdade. Quem é que nos garante que você não é desonesta?"

Nesse caso clínico o que se vê é que Paulo não consegue assumir a responsabilidade da ruptura. Ele faz com que seja Ana quem tome a iniciativa, que ela o "expulse", tornando-se assim responsável pelo fracasso do casamento. De qualquer modo, ela é culpada de tudo, ela é o bode expiatório que permite a Paulo não se pôr em questão. Ana poderia ter tido uma reação violenta diante dessa traição, e no caso teria sido qualificada de violenta. Quando, pelo contrário, ela se afunda, é considerada louca e depressiva. Em ambos os casos, o erro é dela. Como ela não cai em erro por reações excessivas, o que fica são só as insinuações e a maledicência para desqualificá-la.

É preciso levar Ana a aceitar que, faça o que fizer, ela será sempre um objeto de ódio para Paulo; aceitar que ela não pode fazer nada para modificar essa relação; aceitar sua impotência.

Basta que ela tenha uma imagem suficientemente boa de si mesma para que as agressões de Paulo voltem a pôr em questão sua identidade. Assim, se ela parar de ter medo de seu agressor, ela sairá do jogo e talvez possa desarmar a agressão.

Para Paulo tudo se passa como se, para poder amar alguém, ele tivesse que odiar outrem. Há em todos nós uma pulsão de morte destruidora. Um dos meios de livrar-se dessa pulsão de morte interna consiste em projetá-la no exterior, sobre outra pessoa. Certos indivíduos praticam assim uma clivagem entre os "bons" e os "maus". E não é bom ficar no terreno dos maus.

Para poder idealizar o novo objeto de amor e manter a relação amorosa, um perverso tem necessidade de projetar tudo que é mau em seu parceiro, transformado em bode expiatório. Tudo que é obstáculo a um novo relacionamento amoroso deve ser destruído, como um objeto que atrapalha. Assim, para que haja amor, é preciso que haja ódio em algum lugar. A nova relação amorosa é construída sobre o ódio do parceiro anterior.

Por ocasião das separações não é raro esse procedimento, mas na maior parte das vezes o ódio se esgota pouco a pouco, à medida que se esgota a idealização do novo parceiro. Mas Paulo, que tem uma imagem bastante idealizada do casal e da família, acentua, pelo contrário, esse processo com o objetivo de proteger sua nova família. Sheila, conscientemente ou não, sente que esse ódio protege sua relação com Paulo e não faz nada para acabar com ele. Talvez ela até aja de modo a ativar esse fenômeno, visando proteger o casal.

Ana, por uma espécie de ingenuidade natural, crê que o fato de estar apaixonado basta para tornar alguém feliz, generoso, "melhor". Não compreende, então, que Paulo ame de outro modo. Pensa apenas que, se Paulo a rejeita daquele modo, é porque ela não era suficientemente "boa", isto é, de acordo com o que ele desejava. Mas é o contrário: no caso dos perversos, o amor tem que sofrer uma clivagem e ser cercado de ódio.

Assédio moral 39

A separação

Os procedimentos perversos são usados com muita freqüência por ocasião dos divórcios ou das separações. Trata-se de um procedimento defensivo, que não se pode considerar de imediato como patológico. É o aspecto repetitivo e unilateral do processo que leva a seu efeito destrutivo.

Por ocasião das separações, o movimento perverso, até então subjacente, acentua-se, a violência mascarada se desencadeia, pois o perverso narcisista sente que a presa lhe escapa. A separação não vem interromper a violência, que prossegue através de alguns laços relacionais que podem subsistir e, quando há filhos, é por eles que ela passa. Para J.G. Lemaire, "certas condutas vingativas depois de uma separação ou de um divórcio podem ser compreendidas dentro deste quadro, como se um indivíduo, para não odiar a si mesmo, tivesse necessidade de escoar todo o ódio, que anteriormente era uma parte sua, sobre um outro".[1]

Isso constitui o que os americanos chamam de *stalking*, ou seja, a perseguição permanente. Consiste no fato de ex-amantes ou ex-cônjuges, que não querem desistir de sua presa, invadirem seus "ex" com sua presença, esperando-os à saída do trabalho, telefonando-lhes noite e dia, com palavras de ameaça, diretas ou indiretas.

O *stalking* foi levado a sério por alguns Estados, que prevêem *protective orders* (ordens de proteção civil), como no caso das violências conjugais diretas, pois verificou-se que essa perseguição, por menos que a vítima reaja, pode levar a violências físicas.

Os divórcios de um perverso narcisista, seja de quem for a iniciativa da separação, são quase sempre violentos e litigiosos. Os perversos mantêm o vínculo através de cartas registradas, de advogados, da justiça. Continua-se a falar de um casal que não

---

[1] J.-G. Lemaire, *Le Couple: sa vie, sa mort*, Paris, Payot, 1979.

existe mais, através dos processos. Quanto mais forte a pulsão de domínio, maiores o ressentimento e a raiva. As vítimas defendem-se mal, sobretudo se elas atribuem a si a iniciativa da separação, o que é muitas vezes o caso, e sua culpa as leva a se mostrarem generosas, esperando, assim, escapar de seu perseguidor.

As vítimas raramente sabem utilizar a lei, ao passo que o agressor, estando muito próximo de uma estrutura paranóica, sabe buscar os procedimentos necessários. Na França, a noção de divórcio por erro pode ser sustentada teoricamente quando existe uma ação perversa por parte de um dos cônjuges. Mas como se dar conta das manobras sutis pelas quais se joga a culpa no outro? O requerente de um divórcio tem que dar provas dos fatos que invoca para fundamentar sua ação. Mas como comprovar uma manipulação perversa?

Não é raro que o perverso, tendo induzido seu parceiro a cometer um erro, sirva-se em seguida dessa passagem ao ato para obter o divórcio a seu favor. Em princípio, o divórcio não pode ser acatado pelas falhas exclusivas de um dos cônjuges, quando as falhas de um podem ser justificadas pelo comportamento do outro. Na realidade, temendo serem eles próprios manipulados e não sabendo quem manipula, os juízes cercam-se de prudência e possibilitam a manutenção dessas situações de violência perversa.

Em uma manobra perversa, o objetivo é desestabilizar o outro e fazê-lo duvidar de si mesmo e dos outros. Para isso, tudo se presta: os subentendidos, a mentira, as inverossimilhanças. Para não se deixar impressionar, é preciso que o parceiro não tenha a mínima dúvida sobre si mesmo e sobre as decisões a serem tomadas, e que não leve em conta as agressões. Isto o obriga a estar permanentemente pisando em ovos nos contatos com o ex-cônjuge.

Eliane e Pedro separam-se após dez anos de vida em comum e três filhos. O divórcio é pedido por Eliane, que se queixa da violência do marido. Diante do juiz, Pedro expressa o que será a realidade dos anos que se seguirão:

Assédio moral 41

"De agora em diante, meu único objetivo na vida será infernizar a vida de Eliane!"

A partir daí ele recusa toda e qualquer comunicação direta com ela. Os contatos são feitos através de cartas registradas ou por meio de advogados. Quando, telefonando para os filhos, é ela quem atende, ele diz apenas: "Quero falar com meus filhos!" Se por acaso se cruzam na rua, ele não só não responde a seu bom-dia como deixa seu olhar passar sobre ela, como se ela fosse transparente. Com essa negação do olhar Pedro dá a entender a Eliane, sem dizê-lo com palavras, que ela não existe, que ela não é nada.

Como acontece muitas vezes em casais divorciados deste tipo, estabelece-se uma insidiosa perseguição através das comunicações referentes aos filhos, à organização das férias, à saúde, à escolaridade. Cada carta de Pedro é uma pequena agressão, aparentemente sem importância, mas sempre desestabilizante.

A uma comunicação de Eliane, em que ela lhe lembra a reavaliação anual da pensão alimentar, ele responde: "Tendo em vista sua habitual desonestidade, você há de compreender que eu tenho que falar com meu advogado!" Quando ela lhe envia uma carta registrada (dado o fato de ele não lhe responder): "Você deve estar louca, ou é por safadeza que me envia uma carta registrada a cada oito dias!"

A uma carta em que ela pergunta sobre a divisão dos fins de semana do mês de maio: "O fim de semana de 7 e 8 de maio é, realmente, o primeiro fim de semana do mês. Mas levando em conta o que já aconteceu, meu advogado me aconselhou a avisá-la oficialmente de que eu serei obrigado a dar queixa de que você não me entrega as crianças se você não respeitar o calendário."

Essas cartas levam Eliane a perguntar-se, por vezes: "Que foi que eu fiz?" Mesmo achando que nada fez de errado, ela, no entanto, procura ver se não há fatos que ela poderia não ter observado, mas que Pedro teria interpretado mal.

De início ela se justifica, depois se dá conta de que, quanto mais se justifica, mais parece culpada.

A todas essas agressões indiretas, Eliane reage com violência, mas, estando Pedro fora de seu alcance, isto se passa diante dos filhos, que a vêem chorar ou gritar como uma louca.

Eliane se quer irrepreensível. Ora, para Pedro ela é culpada de tudo, de qualquer coisa. Ela tornou-se o bode expiatório, responsável pela separação e por todas as suas consequências. Suas justificativas não passam de esforços inúteis e dignos de pena.

É impossível a Eliane responder a todas as insinuações de Pedro, pois muitas vezes ela nem sabe a que ele está se referindo. Não há, pois, justificativa possível. Ela é culpada de algo que não é mencionado, mas que supostamente ambos sabem. Se ela fala dessas mensagens malévolas a sua família e a seus amigos, estes banalizam: "Ah, fica tranquila, não é nada demais!"

Pedro recusa-se a estabelecer qualquer comunicação direta com Eliane. Se ela lhe escreve para avisá-lo de algum fato importante relativo aos filhos, ele não responde. Se ela decide telefonar-lhe, ou ele responde ríspido: "Não quero falar com você!", ou a ofende em tom frio. Se, pelo contrário, ela toma decisões sem informá-lo, ele lhe comunica imediatamente, por carta registrada ou pelo advogado, que não está de acordo com aquela decisão, e toma providências em seguida, pressionando os filhos para que o que foi decidido não se cumpra. Dessa maneira ele paralisa Eliane no que diz respeito às decisões relativas aos filhos. Não lhe basta mostrar que ela é uma mulher má, tem que provar também que ela é uma mãe má. Pouco lhe importa se com isso ele desequilibra também as crianças.

A cada decisão importante relativa aos filhos, Eliane hesita quanto à maneira de pedir a opinião de Pedro sem que isso crie um conflito, depois acaba enviando uma carta em que

Assédio moral   **43**

mediu cada palavra. Ele não responde. Ela toma a decisão sozinha. Em seguida chega uma carta registrada: "Isto foi resolvido por sua conta, sem que eu tenha sido consultado e sem me dar qualquer aviso. Convém que você se lembre que eu exerço a autoridade de pai em conjunto com você no que concerne a nossos três filhos, e que, por conseguinte, você não pode tomar sozinha decisões sem me consultar previamente." O mesmo discurso é mantido na frente dos filhos, que não sabem mais quem decide no caso deles. Em geral os projetos apresentados acabam não se realizando.

Passados já alguns anos da separação, Eliane teve que tomar uma decisão importante com relação a um dos filhos. Escreveu para Pedro, e, como sempre, não recebeu resposta. Resolveu, então, telefonar. E viu de imediato que nada havia mudado:

"Você leu minha correspondência; está de acordo?"

"Com uma mãe como você, não se pode fazer nada, nem vale a pena tentar, você vai fazer com que as coisas saiam como você quer e as crianças façam o que você quer! Mas, de qualquer modo, você é incapaz de melhorar, você não passa de uma ladra, de uma mentirosa que vive ofendendo as pessoas, é só isso que lhe interessa, é só o que você sabe fazer!"

"Mas agora eu não estou ofendendo você, estou perguntando, com a maior calma, se nós podemos fazer juntos uma coisa relacionada às crianças."

"Você só não fez porque ainda não teve oportunidade, mas isto não vai demorar, porque você não mudou, não vai mudar nunca, você não passa de uma p..., é isso, sim, uma p..., é isto que você quer ouvir, não tenho outras palavras."

"Agora é você que está me ofendendo!"

"Eu não estou fazendo mais que dizer a verdade, ou seja, que você não é uma pessoa evoluída, que você não é nem capaz de se ver como é. Não há a menor hipótese de eu aceitar uma decisão sua. Desaprovo totalmente. Aliás, desaprovo inclusive o modo como as crianças são educadas, desaprovo as pessoas que as educam, desaprovo a maneira de se vestirem."

"Pense o que quiser de mim, mas trata-se de nossos filhos. Que é que você propõe, então?"

"Não proponho nada, porque a você não tenho nada a propor, nada vai mudar, porque você nunca vai mudar. Eu acho que a gente deve falar com as pessoas, mas com você não, porque você não tem mais jeito. Você não sabe nem o que diz, vai dizendo qualquer coisa, não importa o quê."

"Mas nós temos que tomar uma decisão a respeito de nossos filhos!"

"Pois então dirija-se a Deus, assim você fala com seus iguais! Eu não tenho as coordenadas Dele, porque, de minha parte, não tenho o hábito de telefonar para Ele! E não tenho mais nada a lhe dizer. Vou pensar e, se resolver, lhe dou uma resposta. Mas, de qualquer modo, isto não vai servir pra nada, porque não é isto que você quer, e você só faz o que quer. E seja lá o que for, não vai dar certo!"

"Mas você elimina tudo de antemão!"

"Claro, com você nada pode dar certo. Aliás, não estou a fim de discutir com você. Você não me interessa e o que você tem a dizer também não me interessa. Até logo!"

Ao ver o tom que a conversa assumia, Eliane gravou o telefonema e, não acreditando no que ouvia, trouxe a gravação para a terapia. Ela não consegue saber se é ela que está maluca, sentindo essa violência, ou se Pedro ainda tem, depois de cinco anos de separação, o mesmo desejo de aniquilá-la.

Eliane fez bem em gravar essa conversa. Isso permitiu-lhe vê-lo com certo distanciamento. Como outras vítimas de uma perseguição do gênero, ela não consegue acreditar que alguém possa odiá-la a tal ponto sem um motivo coerente. Nessa comunicação fica evidente que, para bloquear a situação, vale tudo para Pedro, inclusive injúrias, sarcasmo. Ele tenta demonstrar a nulidade de Eliane, tornando-a de antemão responsável pelo

Assédio moral 45

fracasso de toda e qualquer iniciativa. É com isso que ele bloqueia qualquer mudança, inclusive para os filhos, obviamente porque uma modificação poderia desestabilizá-lo. O que fica igualmente evidente é a inveja. Pedro inveja Eliane porque imagina, de forma infantil, que ela tenha a onipotência das mães (os filhos fazem tudo que você quer). Uma mãe tão poderosa goza da companhia dos deuses, e quando ele diz isso não é como figura de retórica, é mais como expressão de um delírio.

Ao ouvir essas palavras violentas ditas em tom glacial, eu só pude aconselhar a Eliane prudência, sabendo que esse ódio não cessaria nunca. Trata-se de um processo autônomo que, uma vez desencadeado, perpetua-se no mecanismo de convicções delirantes. A razão e os raciocínios não o mudarão em nada. Somente a lei pode limitar o alcance da violência, pois o perverso narcisista se empenha em manter uma aparência de legitimidade. Obviamente, uma gravação dessas não tem valor jurídico, porque é proibido registrar as conversas privadas sem permissão do interessado. O que é uma pena, porque a violência perversa se expressa muito particularmente ao telefone. Não tendo o olhar ou a presença física do outro, o agressor pode usar sua arma favorita, as palavras, para ferir sem deixar vestígios.

A recusa a uma comunicação direta é a arma preferida dos perversos. O parceiro vê-se obrigado a fazer as perguntas e dar as respostas, e, caminhando a descoberto, evidentemente comete erros que são captados pelo agressor para enfatizar a nulidade da vítima.

O recurso a cartas registradas, agressivas em seus subentendidos ou alusões, é uma hábil manobra para desestabilizar sem deixar rastro. Um leitor externo (um psicólogo, um juiz), a partir do que está escrito, não vê aí mais que uma banal comunicação acrimoniosa entre dois ex-cônjuges. Ora, não se trata de uma comunicação. É uma agressão unilateral, a que o agredido está impedido de reagir e defender-se.

Essas agressões perversas acabam desestabilizando a família. Os filhos, que delas são testemunhas, não podem crer que essa maldade seja gratuita. A vítima deve ser vítima por alguma razão. No caso de Eliane, mesmo tendo ela excelentes relações com seus filhos, cada carta vem trazer tensão ou agressividade: "Já estou de saco cheio de ver você ficar de mau humor quando recebe uma carta registrada do papai!" Ao mesmo tempo, eles próprios ficam sem saber como agir em cada situação suscetível de levar a uma carta registrada, essa espécie de armadilha selada que vem semear a violência a distância. O agressor pode dizer que ele nem fez nada, que tem as mãos limpas. Não é culpa dele se sua ex-mulher é louca e não sabe se controlar nem educar os filhos.

A história de Eliane e Pedro no momento está nisso. Mas é uma história sem fim porque um verdadeiro perverso não abandona nunca a presa. Ele está certo de que está com a razão e não tem escrúpulos nem remorsos. As pessoas que ele tem em mira têm que ser permanentemente irrepreensíveis, sem falha alguma visível, sob pena de verem surgir um novo ataque perverso.

Eliane levou muito tempo para compreender que essa situação não é resultante dos mal-entendidos que habitualmente se seguem a uma separação passional, e sim de um comportamento patológico de Pedro, que também a induz a um comportamento patológico. Dado o fato de não haver entre eles possibilidade de diálogo, eles se vêem encerrados em um círculo infernal, destrutivo não só para eles, mas também para os filhos. Nesse estágio de funcionamento, é necessária uma intervenção externa para estancar o processo.

Durante muito tempo Eliane se fez a seguinte pergunta: "Em que sentido sou eu a responsável por meu comportamento ou por minha maneira de ser, por esta atitude?" Ela agora compreende que Pedro não faz mais que reproduzir o que ele próprio sofreu em sua infância, o que ele viu acontecer em sua própria família, e que ela própria teve dificuldade de sair do papel reparador que lhe foi atribuído quando ela era criança. Ela havia sido atraída pelo lado de garoto infeliz, que necessitava de consolo, de Pedro. E caiu na armadilha daquilo mesmo que a havia seduzido.

Assédio moral　　　　　　　　　　　　　　　47

A violência perversa nas famílias

A violência perversa nas famílias constitui uma engrenagem infernal, difícil de ser detectada, pois tende a transmitir-se de uma geração a outra. É o caso dos maus-tratos psicológicos que escapam muitas vezes à vigilância dos que estão à volta, mas que produzem devastações cada vez maiores.

Às vezes esses maus-tratos assumem uma máscara de educação. Alice Miller[2], ao falar da pedagogia negra, denuncia os malefícios da educação tradicional, que tem por objetivo quebrar a vontade da criança para fazer dela um ser dócil e obediente.

As crianças não conseguem reagir porque "a força e a autoridade esmagadora dos adultos deixam-nas mudas e podem até fazê-las perder a consciência".[3]

A convenção internacional dos direitos da criança considera como mau-trato psicológico às crianças:

– a violência verbal;
– os comportamentos sádicos e desvalorizadores;
– a rejeição afetiva;
– as exigências excessivas ou desproporcionais em relação à idade da criança;
– as ordens ou injunções educativas contraditórias ou impossíveis.

Essa violência, que não é nunca sem importância, pode ser indireta e atingir a criança apenas por tabela, salpicando-a de lama, ou pode visar diretamente uma criança que ela busque anular.

A violência indireta

Essa violência visa, na maior parte das vezes, a destruição do cônjuge e, não podendo fazê-lo, volta-se para as crianças. As

---

[2] A. Miller, *C'est pour ton bien*, tradução de Jeanne Étoré, Aubier, Paris, 1984.
[3] Ferenczi, "Confusion de langue entre la adultes et l'enfant", in *Psychanalyse IV*, trad. fr., Paris, Payot, 1985.

criança são vítimas por estarem ali e se recusarem a dessolidarizar-se do pai ou mãe visado. São assim agredidas enquanto filho do outro. Tomadas como testemunhas de um conflito que não lhes diz respeito, elas recebem toda a maldade destinada ao elemento visado. Em revide, o parceiro ferido, não conseguindo fazer-se ouvir pelo agressor, despeja, por sua vez, sobre as crianças toda a agressão que não pode externar de outro modo. Diante do denegrimento permanente de um dos pais pelo outro, as crianças não têm outra saída senão isolar-se. Com isso perdem a possibilidade de individualização ou de ter opiniões próprias.

Cada uma guarda uma parte desse sofrimento, que irá reproduzir em outro lugar se não encontrar em si mesmo uma solução. Trata-se de um deslocamento do ódio e da destruição. O agressor não consegue refrear sua morbidez. O ódio passa do ex-cônjuge detestado para as crianças, que se tornam, então, o alvo a ser destruído.

Até seu divórcio, os pais de Nádia tinham o hábito de jogar seus filhos uns contra os outros, usando para isso de uma violência subterrânea. Nessa família, lava-se em público a roupa suja, mas de maneira insidiosa. A mãe sabe melhor que ninguém utilizar as frases e as insinuações maldosas. Com seus ataques indiretos, ela deixa traços de veneno na memória dos filhos.

Quando seu marido vai embora, ela passa a viver sozinha com a sua filha menor, Léa, e desconfia que os outros filhos são cúmplices do pai, de que há em torno dela uma gigantesca conspiração da qual Léa é o centro, sendo, ao mesmo tempo, uma parte dela mesma. Quando Nádia envia a Léa um presente de aniversário, sua mãe lhe responde: "Sua irmã e eu lhe agradecemos!" Ela contagia Léa com seu rancor e desconfiança, isola-a do resto da família, a ponto de ela chegar a indignar-se de seus irmãos e irmãs continuarem a ver o pai.

A mãe queixa-se incansavelmente de seus filhos. Faz um

elogio, e o que diz no minuto seguinte anula o que acabou de elogiar. Tece sem cessar sua teia para melhor sustentar uma aparência de vitória. Põe em ação um sistema de culpabilização latente, que resulta mais ou menos eficaz, de acordo com o filho a quem o dirige.

Quando Nádia lhe dá um *foulard* no Natal, ela responde: "Obrigada pelo lenço! O comprimento é perfeito para completar todos os outros lenços que eu já tenho!" Ou então: "Seu presente, hoje, é o primeiro que eu recebi de meus filhos!" Quando seu genro se suicida: "Afinal, ele era um fraco, é melhor que tenha ido mesmo!"

Nádia tem a sensação de estar sonhando quando vê ou ouve sua mãe. Cada agressão é vista como uma intrusão. Ela sente que tem que se proteger para salvaguardar sua integridade. A cada novo ataque, sua própria violência aumenta, dando-lhe vontade de arrasar a mãe para que ela pare de ser onipotente e de pôr a culpa em todo mundo. Isso faz com que tenha dores gástricas e espasmos digestivos. Mesmo a distância, por correspondência ou por telefone, Nádia sente como que um braço telescópico que vem até onde ela está para lhe fazer mal.

Quaisquer que sejam as razões para esse comportamento, ele é inaceitável, indesculpável, pois a manipulação perversa engendra, tanto nas crianças quanto nos adultos, perturbações graves. Como é que alguém pode pensar sadiamente quando um dos pais lhe diz que deve pensar de um modo e o outro lhe diz exatamente o contrário? Se essa confusão não é resolvida com palavras de bom senso vindas de um terceiro adulto, pode levar a criança ou o adolescente a uma destruição fatal. Constata-se muitas vezes em adultos que, quando crianças, foram vítimas da perversão de um dos pais, assim como entre as vítimas de incesto, alternâncias de anorexia e de bulimia, e outros comportamentos compensatórios.

As alusões e observações perversas representam um condicionamento negativo, uma lavagem cerebral. As crianças não se queixam dos maus-tratos que lhes foram infligidos, mas, pelo contrário, têm uma ansiosa e permanente busca de obter um improvável reconhecimento por parte do pai que a rejeita. Elas interiorizaram uma imagem negativa de si mesmas (Eu sou uma nulidade!) e aceitam-na como se a tivessem merecido.

Estêvão tem consciência de que, muito antes de seu estado depressivo, já se sentia vazio, incapaz de fazer as coisas sem ter um forte estímulo externo. Mostra-se particularmente incapaz de utilizar seus reais dotes profissionais. Para mascarar esse vazio e essa tristeza profunda, ele usa drogas regularmente, mesmo dizendo que isso não lhe dá o menor prazer.

Até a puberdade Estêvão era uma criança tagarela, dinâmica, brincalhona, alegre, bom aluno. Perdeu sua espontaneidade depois do divórcio dos pais, quando estava com dez anos. A partir de então, tem a sensação de não ser aceito em nenhum dos dois lares. Como seu irmão decidiu ficar com a mãe, Estêvão viu-se obrigado a ir viver com o pai. É o refém desse divórcio.

Seu pai é um homem frio, sempre insatisfeito, sempre cansado, não tem nunca qualquer gesto de carinho, manejando seguidamente a ironia, os sarcasmos e as palavras ferinas. Ele não tem prazer em viver e não permite que os demais o tenham. Estêvão não lhe fala nunca de seus projetos. Junto do pai ele não é mais que uma sombra de si mesmo, e, quando se afasta dele, diz a si próprio: "Que alívio, hoje deu tudo certo."

Adulto, Estêvão ainda tem medo da cólera do pai: "Se eu fosse o único a reagir assim diante dele, eu diria que sou eu que estou delirando, mas diante dele todo mundo acaba não discutindo mais, ou pára de contar seja lá o que for para evitar conflito." Ele está sempre na defensiva, pois, se seu pai for longe demais em alguma invectiva mais violenta, ele mesmo poderá "perder as estribeiras".

Estêvão reconhece que, de modo geral, se submete demasia-

Assédio moral 51

damente fácil às autoridades, porque não suporta brigas. Sabe que, mesmo na sua idade, se deixar de submeter-se a seu pai, isso levará a uma ruptura, a uma ruptura violenta. Que no momento ele não se sente ainda à altura de enfrentar.

O pai tem à mão um objeto vivo disponível e manipulável a que pode infligir as humilhações que ele próprio sofreu antes, ou que continua a sofrer. Toda a alegria da criança é-lhe insuportável. Ela é repreendida, faça o que fizer, diga o que disser. Há uma espécie de necessidade de fazê-la pagar pelo sofrimento que ele próprio vivenciou.

A mãe de Daniel não suporta que seus filhos se mostrem alegres já que ela mesma não está feliz no casamento. Repete para quem quiser ouvir: "A vida é um bolo de m... que a gente come um pouquinho todos os dias!" Explica que ter filhos a impede de viver, que eles não lhe interessam, mas que é obrigada a sacrificar-se por eles.
Vive de mau humor e joga contra cada um deles pequenas frases ferinas. Inventou um jogo familiar, destinado a enrijecer os filhos, que consiste em debochar sistematicamente de algum deles no momento das refeições. E aquele que estiver na berlinda tem que manter boa cara. Esse hábito vai gerando arranhões repetidos, dolorosos, mas ainda não suficientemente graves para merecer que se fale deles. Além disso, as crianças não têm certeza de que essas pequenas feridas sejam feitas de propósito, podem ser apenas falta de jeito de se expressar.
Ela passa o tempo todo falando mal de um ou de outro, de maneira indireta, camuflada, e encoraja permanentemente atitudes de menosprezo de um dos filhos por seu irmão ou sua irmã, alimentando assim a rivalidade e os desentendimentos.
De Daniel ela diz, com ar consternado, que ele não presta para nada, que jamais será alguém na vida. Tem palavras incisivas e definitivas, rudemente proferidas, quando faz uma

advertência. Na idade adulta, Daniel continua a ter medo das palavras que sua mãe teria podido dizer. Diante dela, não sabe defender-se: "Não se pode ser agressivo com a própria mãe!" Ele se apega a um sonho repetitivo no qual ele a segura pelos ombros e a sacode, perguntando: "Por que você é tão má comigo?"

É muito fácil manipular crianças. Elas procuram sempre desculpas para aqueles a quem amam. Sua tolerância é ilimitada, estão prontas a perdoar tudo em seus pais, a assumir tudo como culpa sua, a compreender, a tentar saber por que um dos pais está triste. Um meio freqüentemente utilizado para manipular uma criança é a chantagem, é fingir estar sofrendo.

Celina conta a seu pai que foi estuprada e que deu queixa. Tendo sido o estuprador apanhado graças ao sangue-frio de Celina, ele vai sofrer um processo penal. A primeira e única reação do pai é dizer: "Seria melhor você não falar disso com sua mãe. Coitada, isso vai deixá-la com uma preocupação a mais!"
Vitória queixa-se seguidamente de dores no ventre, que lhe dão pretexto para ficar deitada a maior parte do dia, evitando igualmente qualquer contato sexual com o marido. Para explicar seu isolamento, ela diz ao filho: "Você era um bebê muito grande, rasgou minhas entranhas!"

O parceiro conjugal do agressor, que está por sua vez sob domínio, só muito raramente consegue ajudar seus filhos, ouvir seus sofrimentos, sem justificar o outro, sem fazer-se de seu advogado. As crianças percebem bem cedo a comunicação perversa, mas, sendo dependentes dos pais, não conseguem nomeá-la. O que é agravado quando o outro pai, desejando proteger-se, se afasta, deixando a criança enfrentar sozinha o menosprezo ou a rejeição.

Assédio moral

A mãe de Ágata tem o hábito de tornar seus filhos responsáveis por tudo que acontece de errado. Ao mesmo tempo, ela se inocenta e apaga qualquer vestígio de culpa. Diz as coisas de maneira calma, e é como se a agressão fosse apenas fruto da imaginação deles. Nada é dito nesse magma familiar: "Mas não, não aconteceu nada, você está divagando!" Os atos de violência desaparecem da memória, deles fica apenas uma vaga lembrança. Quando as coisas são expressas, nunca o são diretamente. A mãe de Ágata procura não falar, esquiva-se. Persuade os filhos de que tem extremo bom senso e queixa-se do marido, que a abandonou. Ágata, desestabilizada, duvida de seus próprios sentimentos.

As crianças sabem que a mãe tem, debaixo da cama, uma caixa cheia de fotografias que datam de sua primeira infância. Ela disse que as tinha jogado fora. Um dia, Ágata ousa perguntar o que foi que aconteceu com a caixa. Falar desta caixa é uma modo de sair do domínio, ousando pôr em dúvida as verdades impostas pela mãe. Esta responde apenas: "Não sei. Vou ver... Talvez..."

Ágata sente-se órfã. Tem duas pessoas, que são seus pais, mas com os quais não tem a menor ligação. Não conhece um ombro carinhoso sobre o qual possa descansar. Tem que se proteger permanentemente dos golpes que se sucedem e, por isso, justificar-se a respeito de tudo.

A violência direta

A violência direta é característica de uma rejeição consciente ou inconsciente da criança por parte de um dos pais, que se justifica explicando que age assim "para o bem da criança", com intenção educativa. Mas a realidade é que esta criança o incomoda e que é-lhe necessário destruí-la interiormente para preservar-se.

Ninguém mais, a não ser a vítima, consegue perceber isso, mas a destruição é real. A criança é infeliz, mas não tem objetivamente de que se queixar. Dizem apenas que aquela criança não está contente consigo mesma. No entanto, existe uma vontade real de anulá-la.

A criança maltratada é considerada uma criança perseguidora. Dizem-lhe que ela é decepcionante, que é a responsável pelas dificuldades dos pais: "É uma criança difícil, faz sempre tudo errado, quebra tudo, faz bobagens assim que eu viro as costas!" Essa criança decepcionante não se adequa à representação do imaginário dos pais.

Ela atrapalha, ou porque ocupa um lugar particular na problemática dos pais (por exemplo, uma criança não desejada, responsável pela formação de um casal que não queria ser tal) ou porque apresenta alguma diferença (uma enfermidade, ou retardo na escola). Sua simples presença revela e reativa o conflito dos pais. É uma criança-problema, cujos vícios têm que ser cortados para que ela se porte direito.

Bernard Lempert[4] descreve muito bem essa rejeição que cai assim por vezes sobre uma vítima inocente: "O desamor é um sistema de destruição que, em certas famílias, desaba sobre uma criança que se gostaria de ver morrer; não é uma *simples* ausência de amor e sim a organização, no lugar e em vez do amor, de uma violência constante que a criança não só sofre, mas que além disso interioriza – a ponto de se chegar a uma dupla engrenagem: a vítima acaba por assumir a violência exercida sobre ela por meio de comportamentos autodestrutivos."

Vemo-nos, então, em uma absurda espiral: tortura-se uma criança com censuras e críticas porque ela é desastrada, ou não é como se deseja; e ela se torna cada vez mais canhestra e cada vez mais distante do desejo expresso pelo pai. Não é por ser uma criança desajeitada que ela é desvalorizada, é pelo fato de ter sido desvalorizada que ela se torna desajeitada. O pai rejeitador busca e consegue forçosamente uma justificativa (ela faz pipi na cama, tem notas más na escola) para a violência que ele emprega, mas é

---

[4] B. Lempert, *Désamour*, Paris, Seuil, 1989.

Assédio moral   **55**

a existência da criança e não seu comportamento o fator desencadeante dessa violência.

Uma forma banal de expressar a violência de maneira perversa é rotular a criança com um apelido ridículo. Quinze anos depois, Sara ainda não havia esquecido que, quando criança, os pais a chamavam de "lixeira" porque ela tinha muito apetite e acabava sempre com os pratos. Por seu excesso de peso, ela não correspondia à criança que os pais haviam sonhado. Em vez de ajudá-la a regular seu apetite, tinham tentado quebrá-la ainda mais.

Acontece também uma criança vir a ter alguma coisa a mais que seu pai ou sua mãe: ela é superdotada, ou demasiado sensível, ou excessivamente curiosa. Elimina-se o que a criança tem de melhor para só destacar suas falhas. As afirmações assumem um ar de predicado: "Você não serve pra nada!" A criança acaba tornando-se insuportável, idiota ou temperamental, de modo que o pai passa a ter boas razões para maltratá-la. A pretexto de educá-la, extingue-se no próprio filho a fagulha de vida que não se tem em si. Quebra-se a vontade da criança, anula-se seu espírito crítico e age-se de maneira a que ela não possa sequer julgar seu pai.

Em todos os casos, o que as crianças sentem muito bem é que elas não são como seus pais gostariam que fossem, ou, simplesmente, que não foram desejadas. São culpadas de tê-los decepcionado, de causar-lhes vergonha, de não serem suficientemente boas para eles. Desculpam-se disso, pois gostariam de ser reparadoras do narcisismo do pai. Esforço inútil.

Ariela não tem a menor confiança em si, mesmo sabendo que tem talento na sua profissão. Além disso sofre de mal-estar, vertigens e taquicardia, que atribui sem hesitar a suas angústias.

Ela sempre teve dificuldade de se comunicar com seus pais, sobretudo com a mãe, Helena, com a qual tem uma relação difícil. Esta lhe dá a impressão de que não a ama, mas Ariela a desculpa e atribui à sua posição de mais velha o fato de ter sido colocada em primeiro plano na perseguição materna.

De sua relação com a mãe, Ariela diz que se coloca sob o signo do paradoxo: recebe informações que não compreende, e não sabe como proteger-se. Alguém lhe disse um dia que ela era a causa do desentendimento dos pais, e ela passou a sentir-se culpada, chegando até a escrever aos pais para justificar-se.

Ariela tem seguidamente a impressão de que sua mãe põe em prática com ela um condicionamento negativo, uma espécie de lavagem cerebral, visando rebaixá-la. Por meio de uma linguagem truncada, cada palavra da mãe esconde um mal-entendido que se torna oportunidade de apanhar a filha em falta, de preparar-lhe armadilhas. Helena sabe como utilizar uma terceira pessoa como um bumerangue para fazer estourarem os conflitos, ou reverter habilmente uma situação utilizando a ironia. Ela diz as coisas como se fosse a única a saber e, por meio de subentendidos, leva seguramente Ariela a sentir-se culpada. Esta está sempre de sobreaviso e perguntando-se se está fazendo bem o que deve ser feito para não desagradar a mãe.

Um dia, Ariela encontra, pregada no banheiro da mãe, uma carta que ela lhe havia enviado no dia de seu aniversário. A data está sublinhada e com uma anotação: "Com um dia de atraso!" Do que Ariela conclui: "Não importa o que eu faça, estou sempre errada!"

A perversão causa um desgaste considerável nas famílias. Ela destrói os laços e anula toda individualidade, sem que se tenha consciência disso. Os perversos sabem mascarar tão bem a própria violência que chegam muitas vezes a passar uma excelente imagem de si mesmos. O processo desqualificador pode vir a ter lugar de um modo ainda mais perverso, fazendo entrar em ação uma terceira pessoa, em geral o outro membro do casal, que está também, à sua revelia, na empreitada.

Assédio moral **57**

Artur é um filho desejado por sua mãe, Chantal, mas não o é verdadeiramente por seu pai, Vicente. Este deixa à sua mulher os cuidados com o bebê: "Isso é coisa de mulheres!" Quando ela passa muito tempo cuidando do filho, ele faz ironia: "Com excesso de dengos cria-se um manhoso!" Esta frase, aparentemente anódina, é dita de uma tal forma que Chantal sente-se apanhada em falta, mesmo replicando que o que faz é perfeitamente normal.

Quando ela está embalando Artur, cantando para ele uma cantiga e abraçando-o pela cintura, Vicente, da soleira da porta, lhe diz que muitas mães têm para com os filhos um comportamento incestuoso e os excitam desde a mais tenra idade. Chantal responde, caçoando, que esta observação não tem razão de ser no seu caso, mas a partir desse dia ela perde um pouco a espontaneidade em suas relações com o filho quando vê que Vicente está próximo. Os princípios educativos de Vicente são bastante rígidos: não devemos corresponder a todos os caprichos das crianças; se elas estiverem corretamente nutridas e limpas, temos que deixá-las chorar. Não se deve mudar nada no ambiente por causa de uma criança, ela é que tem que aprender a não mexer nas coisas: para isso basta dar-lhe um bom tapa nas mãos. E o pequeno Artur, criança aliás dócil e fácil de se levar, é muitas vezes estapeado.

Como Artur se tornou um belo e rechonchudo bebê, seu pai o chama de "porcão", o que deixa Chantal furiosa. Apesar de todos os seus pedidos e súplicas, ele continua a chamá-lo assim, até quando lhe diz coisas gentis: "É você que se aborrece com isso, ele não, olha só, ele está até rindo!" Outras pessoas, familiares ou amigos, protestam, mas o apelido torna-se usual na boca de Vicente.

Artur começa em seguida a ter alguma dificuldade na aprendizagem de hábitos de higiene. Faz pipi nas calças até entrar para a escola maternal e tem enurese noturna até com mais idade. Isso irrita Vicente, que agarra o filho e lhe dá surras. Mas manifesta sua exasperação sobretudo para com

Chantal, que, temendo a cólera fria de Vicente, assume a responsabilidade das coisas e se descontrola também com o filho. Até que um dia é ela que chega a dar-lhe uma surra. Depois sente-se culpada e censura Vicente por estar sendo severo demais com Artur. Ele apenas lhe responde friamente: "Mas foi você quem bateu nele, você é que é violenta!" Chantal vai até o quarto do filho, abraça-o e o consola, na realidade consolando também a si mesma.

Como não se pode matar fisicamente um filho, anula-se a criança psiquicamente, age-se de modo que ela não seja ninguém. Com isso pode-se manter uma boa imagem de si, mesmo se, em conseqüência, a criança perder toda consciência de seu próprio valor. "Quando a tirania é doméstica e o desespero individual, a morte atinge seus objetivos: o sentimento de não-ser. Como não se pode matar socialmente um filho em seu corpo físico e se necessita de uma cobertura legal – a fim de manter uma boa imagem de si, que é o fim do fim da hipocrisia – realiza-se um assassinato psíquico, agindo de modo que a criança não seja nada. Reencontramos aqui uma constante: sem vestígios, sem sangue, sem cadáver. O morto está vivo e está tudo dentro das normas."[5]

Mesmo quando a violência dos pais é ainda mais manifesta, não se pode igualmente denunciá-la juridicamente, pois ela nem sempre é observável.

Embora aparentemente desejada tanto pelo pai quanto pela mãe, tornou-se de repente claro que Julieta não devia viver. Ela perturba, não a querem. Desde que nasceu, ela é responsável por tudo que sucede de errado: se ela não é boazinha, é por culpa sua, se a organização da casa está complicada, é por culpa sua. Qualquer coisa que ela faça, enchem-na de censuras e críticas; se ela chora, reclamam de suas lágrimas, e dão-lhe um tapa: "Assim você pelo menos

---

[5] B. Lempert, *L'Enfant et le Désamour*, Éditions L'Arbre au milieu, 1989.

vai saber por que está chorando!"; e se ela não reage: "Parece que você não está nem aí para o que a gente diz!"

Seu pai tem tal vontade de não tê-la em casa que, quando ela estava com nove anos, Julieta foi "esquecida" em uma floresta depois de um piquenique. Camponeses a recolheram e avisaram a polícia. O pai justificou-se, dizendo: "Que é que vocês querem, esta garota é impossível, passa o tempo todo escapulindo!" Julieta não é abertamente espancada, é adequadamente vestida, alimentada – do contrário a assistência social teria tomado conta dela –, no entanto, fica evidente a cada instante que o ideal seria que ela não existisse. Sua mãe, submissa a um marido todo-poderoso, tenta dar compensações, proteger a filha. E resiste o mais que pode, ameaçando ir embora com ela, mas, não tendo um trabalho, não tem recursos e fica dependente desse homem difícil.

Apesar da violência que sofre, Julieta ama o pai, e quando lhe perguntam como é que as coisas se passam em sua casa, por vezes diz: "É mamãe que fica inventando coisas, dizendo que quer ir embora!"

As crianças vítimas de agressões perversas não têm outro recurso a não ser mecanismos de clivagem protetora, e vêem-se por vezes portadoras de um núcleo psíquico morto. Tudo que não pode ser metabolizado durante a infância vê-se projetado em permanentes passagens a ato na idade adulta.

Mesmo que todas as crianças maltratadas não se tornem pais maltratadores, cria-se uma espiral de destruição. Todos nós podemos vir a reproduzir sobre outro a própria violência interior. Alice Miller[6] nos mostra que, com o tempo, os filhos ou as vítimas que passaram por essa forma de domínio esquecem as violências sofridas – basta que se lhes tire a vontade de saber –, mas as reproduzem sobre si mesmos ou sobre um outro.

Os pais não transmitem a seus filhos apenas qualidades positivas, como a honestidade e o respeito pelo outro; eles podem

---

6 A. Miller, *La Souffrance muette de l'enfant*, trad. franc., Paris, Aubier, 1988.

60 *A violência privada*

também transmitir a desconfiança e a desobediência às leis e às regras a pretexto de "dar desembaraço". É a lei do mais esperto. Nas famílias em que a perversão é a regra, não é raro encontrar-se um antepassado transgressor, conhecido por todos, embora oculto, passando por herói graças a sua astúcia. Quando se tem vergonha dele, não é pelo fato de ter transgredido a lei, e sim por ele não ter sido suficientemente sabido para não se deixar apanhar.

O incesto latente

Ao lado da violência perversa, que consiste em destruir a individualidade de uma criança, encontramos famílias em que reina uma atmosfera doentia, feita de olhares equívocos, de casuais toques de mão, de alusões sexuais. Nessas famílias, as barreiras entre as gerações não se colocam claramente e não há fronteira entre o banal e o sexual. Não se trata de incesto propriamente dito, mas de algo que o psicanalista P.-C. Racamier chamou de *incestual*[7]: "O incestual é um clima: um clima em que sopra um vento de incesto sem que haja incesto." É o que eu chamaria de incesto *soft*. Não há nada juridicamente condenável, mas a violência perversa está presente, sem sinais aparentes.

É o caso da mãe que conta à filha os fracassos sexuais do marido e compara seus atributos aos de seus amantes.

Ou de um pai que pede à filha para servir-lhe rotineiramente de álibi, para acompanhá-lo e esperar no carro quando ele vai ver as amantes.

Ou de uma mãe que pede a sua filha de quatorze anos para examinar seus órgãos genitais, a fim de ver se ela não está com uma vermelhidão: "Afinal, nós nos conhecemos e estamos entre mulheres!"

---

[7] P.-C. Racamier, *L'Inceste et l'Incestuel*, Paris, Les Éditions du Collège, 1995.

Ou de um pai que seduz as coleguinhas da filha de dezoito anos e as acaricia diante dela.

Essas atitudes induzem a um clima de cumplicidade doentia. A barreira entre as gerações não é respeitada, as crianças não ficam em seu lugar de crianças, são integradas como testemunhas da vida sexual dos adultos. Esse exibicionismo muitas vezes é apresentado como uma maneira de ser moderno, de estar "ligado". A vítima não pode sequer defender-se: se ela se revolta, vão debochar dela: "Como você é quadrada!" Ela é, então, obrigada a censurar a si mesma e a aceitar, sob pena de enlouquecer, princípios que ela de início sentiu como doentios. De forma paradoxal, pode acontecer que essa atitude dita liberal coexista com outros princípios educativos severos, como, por exemplo, a preservação da virgindade da filha. Ao implantar-se, o domínio perverso impede a vítima de perceber claramente as coisas e com isso de poder dar-lhes fim.

A RELAÇÃO PERVERSA PODE SER A PRÓPRIA BASE da constituição de um casal, pois a escolha foi de ambos os parceiros. Não é esse o fundamento de uma relação na empresa. Mas, mesmo sendo o contexto diferente, trata-se, no entanto, de um funcionamento semelhante. Podemos, pois, servir-nos do modelo que é manifesto no casal para compreender determinados comportamentos que se tornam visíveis em uma empresa.

Na empresa, é do encontro do desejo de poder com a perversidade que nascem a violência e a perseguição. Aí são menos encontradas as grandes perversões destruidoras, mas as pequenas perversões cotidianas são fatos banais.

No mundo do trabalho, nas universidades e nas instituições, as formas de assédio são muito mais estereotipadas que na esfera privada. Nem por isso são menos destrutivas, mesmo estando as vítimas expostas por menor tempo, na medida em que, para sobreviver, elas acabam na maior parte das vezes decidindo ir embora (por licença de saúde ou por demissão). É igualmente na esfera pública (no mundo do trabalho, da política, das associações) que esses processos foram inicialmente denunciados pelas vítimas, que, como no caso das operárias de Maryflo, se solidarizaram a fim de fazer com que soubessem que o que elas viviam era algo insuportável.

2
O ASSÉDIO
NA EMPRESA

De que estamos falando?

POR ASSÉDIO EM UM LOCAL DE TRABALHO TEMOS QUE entender toda e qualquer conduta abusiva manifestando-se sobretudo por comportamentos, palavras, atos, gestos, escritos que possam trazer dano à personalidade, à dignidade ou à integridade física ou psíquica de uma pessoa, pôr em perigo seu emprego ou degradar o ambiente de trabalho.

Embora o assédio no trabalho seja uma coisa tão antiga quanto o próprio trabalho, somente no começo desta década foi realmente identificado como fenômeno destruidor do ambiente de trabalho, não só diminuindo a produtividade como também favorecendo o absenteísmo, devido aos desgastes psicológicos que provoca. Esse fenômeno foi estudado principalmente nos países anglo-saxões e nos países nórdicos, sendo qualificado de *mobbing*, termo derivado de *mob* (horda, bando, plebe), que implica a idéia de algo importuno. Heinz Leymann[1], pesquisador em psicologia do trabalho que atua na Suécia, fez um levan-

---

[1] H. Leymann, *Mobbing,* trad. franc., Paris, Seuil, 1996.

tamento junto a diferentes grupos profissionais, há mais de dez anos, sobre esse processo que ele qualificou de "psicoterror". Atualmente, em inúmeros países, os sindicatos, os médicos do trabalho e as organizações de planos de saúde começam a interessar-se pelo fenômeno.

Na França, nos últimos anos, tanto nas empresas quanto na mídia a questão tem girado sobretudo em torno do assédio sexual, a única levada em conta pela legislação francesa, e que não passa, porém, de um dos aspectos do assédio *lato sensu*.

Essa guerra psicológica no local de trabalho agrega dois fenômenos:

– o abuso de poder, que é rapidamente desmascarado e não é necessariamente aceito pelos empregados;

– a manipulação perversa, que se instala de forma mais insidiosa e que, no entanto, causa devastações muito maiores.

O assédio nasce como algo inofensivo e propaga-se insidiosamente. Em um primeiro momento, as pessoas envolvidas não querem mostrar-se ofendidas e levam na brincadeira desavenças e maus-tratos. Em seguida esses ataques vão se multiplicando e a vítima é seguidamente acuada, posta em situação de inferioridade, submetida a manobras hostis e degradantes durante um período maior.

Não se morre diretamente de todas essas agressões, mas perde-se uma parte de si mesmo. Volta-se para casa, a cada noite, exausto, humilhado, deprimido. E é difícil recuperar-se.

Em um grupo, é normal que os conflitos se manifestem. Um comentário ferino em um momento de irritação ou mau humor não é significativo, sobretudo se vier acompanhado de um pedido de desculpas. É a repetição dos vexames, das humilhações, sem qualquer esforço no sentido de abrandá-las, que torna o fenômeno destruidor.

Quando esse cerco se inicia é como uma máquina que se põe em movimento e pode atropelar tudo. Trata-se de um fenômeno assustador, porque é desumano, sem emoções e piedade. Os que estão em torno, por preguiça, egoísmo ou medo, prefe-

Assédio moral

rem manter-se fora da questão. Mas quando esse tipo de interação assimétrica e destrutiva se processa, só tende a crescer se ninguém de fora intervier energicamente. Na realidade, em um momento de crise, tende-se a acentuar o mecanismo mais habitual: uma empresa rígida torna-se ainda mais rígida, um empregado depressivo torna-se ainda mais depressivo, um agressivo ainda mais agressivo etc. Acentua-se aquilo que se é. Uma situação de crise pode, sem dúvida, estimular um indivíduo e levá-lo a dar o melhor de si para encontrar soluções, mas uma situação de violência perversa tende a anestesiar a vítima, que não irá mostrar senão o que tem de pior.

Trata-se de um fenômeno circular. De nada serve, então, procurar quem está na origem do conflito. Até mesmo as razões são esquecidas. Uma seqüência de comportamentos deliberados por parte do agressor destina-se a desencadear a ansiedade da vítima, o que provoca nela uma atitude defensiva, que é, por sua vez, geradora de novas agressões. Depois de certo tempo de evolução do conflito, surgem fenômenos de fobia recíproca: ao ver a pessoa que ele detesta, surge no perseguidor uma raiva fria, desencadeia-se na vítima uma reação de medo. É um reflexo condicionado agressivo ou defensivo. O medo provoca na vítima comportamentos patológicos, que servirão de álibis para justificar retroativamente a agressão. Ela reage, na maior parte das vezes, de maneira veemente e confusa. Qualquer iniciativa que tome, qualquer coisa que faça, é voltada contra ela pelo perseguidor. O objetivo de tal manobra é transtorná-la, levá-la a uma total confusão que a faça cometer erros.

Mesmo quando a perseguição é horizontal (um colega agredindo um outro colega), a chefia não intervém. Ela se recusa a ver, ou deixa as coisas acontecerem. Por vezes nem toma consciência do problema, a não ser quando a vítima reage de maneira muito ostensiva (crise de nervos, choro...) ou quando falta muito seguidamente ao trabalho. O conflito, na verdade, degenera porque a empresa se recusa a interferir: "Vocês já estão bem grandinhos para resolver isto sozinhos!" A vítima não se sente defendida, por vezes pode até sentir-se enganada pelos que estão assistindo à agressão sem intervir, pois a chefia raramente propõe uma solução direta: "Mais tarde tratamos disto!" A solução proposta é, na melhor das hipóteses, uma mudança para outro posto, sem que se pergunte se o interessado está de acordo. Se, em determinado momento do processo, alguém reage de maneira sadia, o processo é detido.

Quem é visado?

Contrariando o que seus agressores tentam fazer crer, as vítimas, de início, não são pessoas portadoras de qualquer patologia, ou particularmente frágeis. Pelo contrário, freqüentemente o assédio se inicia quando uma vítima reage ao autoritarismo de um chefe, ou se recusa a deixar-se subjugar. É sua capacidade de resistir à autoridade, apesar das pressões, que a leva a tornar-se um alvo.

O assédio torna-se possível porque vem precedido de uma desvalorização da vítima pelo perverso, que é aceita e até caucionada posteriormente pelo grupo. Essa depreciação dá uma justificativa *a posteriori* à crueldade exercida contra ela e leva a pensar que ela realmente merece o que lhe está acontecendo.

No entanto, as vítimas não são franco-atiradoras. Pelo contrário, encontramos entre elas inúmeras pessoas escrupulosas, que apresentam um "presenteísmo patológico": são empregados perfeccionistas, muito dedicados a seu trabalho, e que almejam ser impecáveis. Ficam até tarde no escritório, não hesitam em trabalhar nos fins de semana e vão trabalhar mesmo quando estão doentes. Os americanos usam o termo *workaholic* para mostrar que se trata de uma forma de dependência. Dependência que não está ligada exclusivamente a uma predisposição de caráter da vítima, mas que é sobretudo conseqüência do domínio exercido pela empresa sobre seus assalariados.

Como efeito perverso da proteção das pessoas na empresa – uma mulher grávida não pode ser demitida – o processo de assédio muitas vezes passa a ter lugar quando uma empregada, até

Assédio moral 69

então totalmente dedicada a seu trabalho, anuncia sua gravidez. Para o empregador isso quer dizer: licença-maternidade, saída mais cedo à tarde para ir pegar a criança na creche, faltas quanto o bebê ficar doente... Em suma, ele tem medo de que essa empregada-modelo não fique mais inteiramente à sua disposição.

Quando o processo de assédio se estabelece, a vítima é estigmatizada: dizem que é de difícil convivência, que tem mau caráter, ou então que é louca. Atribui-se à sua personalidade algo que é conseqüência do conflito e esquece-se o que ela era antes, ou o que ela é em um outro contexto. Pressionada ao auge, não é raro que ela se torne aquilo que querem fazer dela. Uma pessoa assim acossada não consegue manter seu potencial máximo: fica desatenta, menos eficiente e de flanco aberto às críticas sobre a qualidade de seu trabalho. Torna-se, então, fácil afastá-la por incompetência profissional ou erro.

O caso específico dos pequenos paranóicos que se fazem passar por vítimas não deve mascarar a existência de vítimas reais de assédio. Os primeiros são pessoas tirânicas e inflexíveis, que entram facilmente em conflito com os que os cercam, que não aceitam a menor crítica e se sentem facilmente rejeitados. Longe de serem vítimas, são potenciais agressores, caracterizados por sua rigidez de caráter e sua incapacidade de assumir culpas.

Quem agride quem?

O comportamento de um grupo não é a soma dos comportamentos dos indivíduos que o compõem: o grupo é uma entidade nova, que tem comportamentos próprios. Freud admite a dissolução das individualidades na multidão e nela vê uma dupla identificação: horizontal, em relação à horda (o grupo), e vertical, em relação ao chefe.

Um colega agride outro colega

Os grupos tendem a nivelar os indivíduos e têm dificuldade em conviver com a diferença (mulher em um grupo de homens, homem em um grupo de mulheres, homossexualidade, diferença racial, religiosa ou social...). Em certas categorias tradicionalmente reservadas aos homens, não é fácil a uma mulher fazer-se respeitar quando chega. São brincadeiras grosseiras, gestos obscenos, menosprezo por tudo que ela diz, recusa a levar seu trabalho em consideração. Parece até "trote de calouros", e todo mundo ri, inclusive as mulheres presentes. Elas não têm escolha.

Cathy tornou-se inspetora de polícia por concurso público. Mesmo sabendo que as mulheres representam apenas um sétimo do pessoal da polícia, ela espera ser admitida e depois passar para o Juizado de Menores. Mas, logo que surge um primeiro desentendimento com um colega, ele encerra a discussão, dizendo: "Você não é mais que um buraco em cima de patas!" O que faz com que os outros colegas caiam na risada e digam outras coisas. Ela não dá a mão à palmatória, zanga-se e protesta. Em represália, isolam-na e tentam desvalorizá-la junto às demais inspetoras: "Vocês, sim, são mulheres competentes, não são presunçosas metidas a besta!" Quando há uma chamada policial, todo mundo se agita, mas a ela não se dá qualquer explicação. Ela faz perguntas: "Onde, quando, como, em que quadro jurídico?", e não lhe dão resposta: "Ora, seja lá o que for, você não vai saber fazer mesmo! Melhor ficar aqui e ir fazendo o café!" Ela não consegue marcar uma entrevista para discutir a questão com a chefia. Como dar nome a alguma coisa que ninguém quer sequer ouvir? Ela tem que se submeter ou opor-se ao grupo. Como se irrita, dizem que é uma desajustada. E esse rótulo torna-se um refrão que Cathy tem que carregar consigo em todas as suas mudanças. Uma noite, depois do serviço, ela deixa, como de costume, sua arma em uma gaveta fechada a chave. No dia seguinte a gaveta está aberta. Ela recebe uma advertência, por ter feito algo errado. Cathy sabe que só uma pessoa pode ter aberto a gaveta. Pede para ver o comissário, decidida a pôr as coisas em pratos limpos. Ele a convoca juntamente com o colega suspeito, falando em sanção disciplinar. No momento da entrevista, o comissário "se esquece" de falar do problema pelo qual se encontram reunidos e emite vagas críticas a respeito do trabalho dela. E em seguida o relatório é extraviado. Alguns meses depois, quando ela encontra seu amigo e companheiro de equipe com um bala na cabeça, vítima de suicídio, ninguém vem consolá-la.

E debocham de sua fragilidade quando ela pede alguns dias de licença por questões de saúde: "Ora, estamos em um mundo de machos!"

Inúmeras empresas revelam-se incapazes de fazer respeitar os mínimos direitos de um indivíduo e deixam desenvolver-se em seu interior o racismo e o sexismo.

Por vezes, o assédio é suscitado por um sentimento de inveja em relação a alguém que tem alguma coisa que os demais não têm (beleza, juventude, riqueza, relações influentes). É também este o caso dos jovens portadores de vários diplomas que ocupam um posto em que têm como superior hierárquico alguém que não possui o mesmo nível de estudos.

Cecília é uma mulher alta e bonita, de 45 anos, casada com um arquiteto e mãe de três filhos. As dificuldades profissionais do marido obrigaram-na a procurar um emprego para fazer frente às despesas contratuais do apartamento. Ela guardou de sua educação burguesa uma forma elegante de vestir-se, boas maneiras e facilidade de expressar-se. No entanto, não tendo qualquer diploma, ocupa um posto de trabalho de valor menor, que não lhe exige mais que fazer classificações sem maior interesse. Desde o momento em que entrou para a empresa, Cecília foi deixada de lado pelas colegas, que começam a multiplicar pequenas observações desagradáveis: "Não é com o salário que você ganha que consegue comprar esse tipo de roupas!" A chegada de um novo superior hierárquico, uma mulher seca e invejosa, vem acelerar o processo. Retiram-lhe até as últimas tarefas que tinham algum interesse e ela se vê na condição de empregada doméstica do serviço. Quando tenta protestar, retrucam-lhe: "A madame é exigente, não quer fazer trabalhos inferiores!" Cecília, que nunca teve muita autoconfiança, não entende bem o que se passa, e tenta primeiro demonstrar sua boa vontade, aceitando as tarefas mais ingratas. Depois se culpa: "A falha é minha, eu é que devo ser desajeitada!" Nas raras vezes em que ela se enraivece, sua chefe comenta friamente que ela não passa de uma desajustada.

Então Cecília se cala e se deprime. Em casa, o marido não entende suas queixas, pois seu trabalho não representa mais que um modesto salário de ajuda. Seu médico, a quem ela descreve seu cansaço, seu desalento, sua falta de interesse, crê resolver o problema rapidamente prescrevendo-lhe Prozac. Espanta-se ao ver que sua prescrição resultou absolutamente ineficaz e, em desespero de causa, manda que ela procure um psiquiatra.

As agressões entre colegas podem também ter origem em inimizades pessoais relacionadas com a história de cada um dos protagonistas, ou na competitividade, com um tentando fazer-se valer às custas do outro.

Há muitos anos Denise mantém más relações com uma colega de trabalho que foi amante de seu ex-marido. Essa incômoda situação levou-a primeiro a uma depressão. Para fugir de encontros com ela, pede para ser transferida de posto. Mas sua solicitação não tem resultado.

Três anos depois, ao ser designada para um novo cargo, Denise vê-se colocada diretamente sob as ordens dessa pessoa, que passa a humilhá-la diariamente, desqualificando seu trabalho, debochando de seus erros, pondo em dúvida sua capacidade de escrever, de calcular ou de usar um computador. Diante dela, Denise não ousa defender-se e reage voltando-se para dentro e acumulando falhas, o que acaba pondo em perigo seu emprego. Ela tenta fazer contato com o superior hierárquico de sua chefe, visando obter sua transferência. Dizem-lhe que o que for necessário será feito. E nada muda.

Deprimida, angustiada, dão-lhe licença para tratamento de saúde. Fora do contexto do trabalho, seu estado melhora, mas assim que há uma retomada, ela recai. Vai assim alternando períodos de doença e recaídas durante dois anos. O médico do trabalho, contatado, faz tudo que pode para resolver a situação, mas a direção não quer tomar conhecimento de nada. Devido a suas queixas e a suas inúmeras faltas por motivo de saúde, consideram-na "psicologicamente perturbada". Não há mais solução para o seu caso. A suspensão de trabalho de Denise poderia prosseguir, assim, até a aposentadoria por invalidez, mas, depois de examinada por uma junta médica, o médico do Conselho da Seguridade Social a considera apta a retomar o trabalho.

Para não ter que voltar àquele local em que se sente tão mal, Denise chega a pensar em pedir demissão. Mas, com 45 anos e sem maiores qualificações, que poderia fazer? Ela passa a falar em suicídio.

Os conflitos entre colegas são difíceis de serem resolvidos pelas empresas, que se mostram inábeis para tal. Muitas vezes o que sucede é que o apoio de um superior acaba reforçando o processo: surgem boatos falando em favoritismo ou em favores sexuais!

Na maior parte das vezes, o processo é assim reforçado devido à incompetência dos chefes menores. Realmente, muitos responsáveis hierárquicos não são administradores. Em um trabalho de equipe designa-se como responsável aquele que é o mais competente no plano profissional, e não aquele que é mais capaz em termos de direção. Mas mesmo que sejam, no caso, muito competentes, inúmeros responsáveis não conhecem a dinâmica de uma equipe e não têm consciência dos problemas humanos que suas responsabilidades envolvem. Ou pior, quando tomam consciência desses problemas, muitas vezes apenas ficam com medo, não sabendo de que maneira intervir. Essa incompetência é um fator agravante quando se inicia um assédio porque, quando os perseguidores são colegas, o primeiro termo de socorro deveria ser o responsável hierárquico ou a escala superior. Mas, se não existe um clima de confiança, é impossível pedir ajuda a seu superior. Quando não é por incompetência, é por indiferença ou por covardia que cada um tende a escudar-se nos demais.

Um superior agredido por subordinados

É um caso bem mais raro. Pode dar-se no caso de uma pessoa vinda de fora, cujo estilo e métodos sejam reprovados pelo grupo, e que não faça o menor esforço no sentido de adaptar-se ou impor-se a ele. Pode ser também o caso de um antigo colega que tenha sido promovido sem que o serviço tenha sido consultado. Em ambos os casos, a direção não levou suficientemente em conta as opiniões do pessoal com o qual esta pessoa será levada a trabalhar.

O problema tende a complicar-se quando a relação dos objetivos do serviço não tiver sido previamente estabelecida e as tarefas da pessoa promovida duplicarem indevidamente as de algum de seus subordinados.

Muriel foi inicialmente secretária-assistente do diretor de um grande grupo. Em razão de seu empenho no trabalho e de inúmeros cursos noturnos durante anos seguidos, ela acaba obtendo um cargo de responsabilidade dentro deste mesmo grupo.

Quando toma posse do cargo, ela se vê imediatamente transformada em alvo da hostilidade das secretárias com quem trabalhava alguns anos antes: não lhe entregam a correspondência que chega, extraviam arquivos, ouvem suas conversas privadas ao telefone, não lhe transmitem os recados. Muriel se queixa a sua chefia, que lhe retruca que, se ela não consegue fazer-se respeitar pelas secretárias, é porque não tem envergadura para ser quadro de direção. E sugerem-lhe que se transfira para um cargo de menor responsabilidade.

Um subordinado agredido por um superior

Esta situação é demasiado freqüente no contexto atual, em que se busca fazer crer aos assalariados que eles têm que estar dispostos a aceitar tudo se quiserem manter o emprego. A empresa deixa um indivíduo dirigir seus subordinados de maneira tirânica ou perversa, ou porque isto lhe convém, ou porque não lhe parece ter a menor importância. As conseqüências são muito pesadas para o subordinado.

– Pode ser simplesmente um caso de abuso de poder: um superior se prevalece de sua posição hierárquica de maneira desmedida e persegue seus subordinados por medo de perder o controle. É o caso do poder dos pequenos chefes.

– Pode ser também uma manobra perversa de um indivíduo que, para engrandecer-se, sente necessidade de rebaixar os demais; ou que tem necessidade, para existir, de destruir um determinado indivíduo escolhido como bode expiatório. Veremos como, por procedimentos perversos, pode-se fazer um empregado cair nessa armadilha.

Como impedir uma vítima de reagir

Apenas o medo de ficar desempregado não é explicação suficiente para a submissão das vítimas de assédio. Os patrões e os pequenos chefes que perseguem visando à própria onipotência servem-se, conscientemente ou não, de procedimentos perversos que, atando psicologicamente as vítimas, impedem-nas de reagir. Esses mesmos procedimentos, que se assemelham a armadilhas, foram utilizados nos campos de concentração e continuam a ser a norma nos regimes totalitários.

Para manter o poder e controlar o outro, utilizam-se manobras aparentemente sem importância, que vão se tornando cada vez mais violentas se o empregado resiste a elas. Em um primeiro momento, busca-se retirar dele todo e qualquer senso crítico, até que ele não saiba mais quem está errado e quem tem razão. Ele é estressado, crivado de críticas e censuras, vigiado, cronometrado, para que se sinta seguidamente sem saber de que modo agir; sobretudo, não se lhe diz nada que possa permitir-lhe compreender o que acontece. O empregado sente-se acuado. Vai aceitando cada vez mais, sem chegar sequer a dizer que aquilo é insuportável. Seja qual for o ponto de partida e sejam quais forem os agressores, os procedimentos são os mesmos: não se menciona o problema, mas age-se de maneira insidiosa para eliminar a pessoa em vez de encontrar uma solução. Esse processo é ampliado pelo grupo, que é chamado como testemunha, ou que até participa ativamente do fenômeno.

O assédio em uma empresa passa a seguir por diferentes etapas, que têm como denominador comum uma recusa à comunicação.

Recusar a comunicação direta

O conflito não é mencionado, mas as atitudes de desqualificação são permanentes. O agressor recusa-se a explicar sua atitude. Essa negação paralisa a vítima, que não pode se defender, o que possibilita a continuidade da agressão. Recusando-se a mencionar o conflito ou a discuti-lo, o agressor impede o debate que poderia levar a uma solução. No mecanismo da comunicação perversa, o que se busca fazer é impedir o outro de pensar, de compreender, de reagir.

Subtrair-se ao diálogo é uma maneira hábil de agravar o

Assédio moral 77

conflito, levando sempre tal atitude a crédito do outro. É uma maneira de dizer, sem fazê-lo com palavras, que o outro não lhe interessa, ou que sequer existe. Como nada é dito, ele pode ser incriminado por tudo.

Essa situação torna-se ainda mais grave quando a vítima tem propensão a culpar-se: "Mas o que foi que eu fiz a ele? Que é que ele tem a censurar em mim?"

Quando há censuras, elas são vagas ou imprecisas, podendo dar lugar a todas as interpretações e a todos os mal-entendidos. Outras vezes eles entram na linha do paradoxo, para evitar qualquer réplica: "Minha querida, eu gosto muito de você, mas você é uma nulidade!"

E todas as tentativas de explicação não levam a mais que vagas observações.

Desqualificar

A agressão não se dá abertamente, pois isso poderia permitir um revide; ela é praticada de maneira subjacente, na linha da comunicação não-verbal: suspiros seguidos, erguer de ombros, olhares de desprezo, ou silêncios, subentendidos, alusões desestabilizantes ou malévolas, observações desabonadoras... Pode-se, assim, levantar progressivamente a dúvida sobre a competência profissional de um empregado, pondo em questão tudo que ele faz ou diz.

Por serem indiretas, é difícil defender-se dessas agressões. Como descrever um olhar carregado de ódio? Como relatar subentendidos ou silêncios? A própria vítima por vezes duvida do que percebe, não está bem certa de não estar exagerando o que sente. Por menos que essas palavras venham fazer eco a uma falta de autoconfiança do empregado, este perderá de vez a confiança em si próprio e desistirá de defender-se.

A desqualificação consiste também em não olhar para alguém, não lhe dizer sequer bom-dia, falar da pessoa como de um objeto (não se fala com as coisas!), dizer a alguém diante da vítima: "Você viu, é preciso ser muito descarada para usar roupas assim!" É negar a presença da vítima, não lhe dirigir a palavra, ou aproveitar uma ausência sua de cinco minutos da sala para pôr em cima de sua mesa um *post-it* em vez de pedir-lhe diretamente tal trabalho.

Existem também as críticas indiretas, dissimuladas em brincadeiras, zombarias, ironias, sarcasmo. Pode-se em seguida dizer: "Ah, isso é só uma brincadeira, ninguém vai morrer por causa de uma brincadeira!" A linguagem é pervertida: cada palavra esconde um mal-entendido que se volta contra a vítima escolhida.

Desacreditar

Para isso basta insinuar a dúvida na cabeça dos outros: "Você não acha que..." Pode-se a seguir, com um discurso falso, feito de um aglomerado de subentendidos, de não-ditos, dar origem a um mal-entendido, visando explorá-lo em proveito próprio.

Para pôr o outro para baixo, ele é ridicularizado, humilhado e coberto de sarcasmos até que perca toda a autoconfiança. Dá-se-lhe um apelido ridículo, caçoa-se de uma enfermidade ou de uma deformação sua. Ou usam-se a calúnia, as mentiras, os subentendidos malévolos. Faz-se tudo de modo a que vítima perceba o que se passa, sem que possa, no entanto, defender-se.

Essas manobras nascem de colegas invejosos que, para sair de uma situação embaraçosa, acham mais fácil jogar o erro sobre o outro, ou de dirigentes que pensam estimular seus empregados criticando-os seguidamente e humilhando-os.

Quando a vítima se mostra abalada, ou se irrita, ou se deprime, isso justifica a perseguição: "Ah, nada disso me espanta, essa pessoa é louca!"

Isolar

Quando alguém decide destruir psicologicamente um empregado, para que ele não possa defender-se é preciso primeiro isolá-lo, cortando as alianças possíveis. Quando alguém está sozinho, é muito mais difícil rebelar-se, sobretudo se já lhe fizeram crer que todo mundo está contra ele.

Por insinuações ou por preferências ostensivas, provocam-se ciúmes, jogam-se as pessoas umas contra as outras, semeia-se a discórdia. O trabalho de desestabilização é feito, assim, por colegas invejosos, e o verdadeiro agressor pode dizer que ele não tem nada a ver com isso.

Quando esse afastamento vem dos colegas, consiste em deixá-lo comer sozinho no refeitório, em não convidá-lo quando saem para beber juntos... Quando a agressão vem da chefia, a vítima escolhida é progressivamente privada de toda e qualquer informação. É isolada, não é chamada para as reuniões. Sabe o que esperam de seu trabalho na empresa por meio de notas de serviço. Depois é posta em quarentena, arquivada. Não lhe dão nada para fazer, mesmo estando seus colegas sobrecarregados, mas também não lhe dão permissão de ler seu jornal ou de sair mais cedo.

Foi o que aconteceu em uma grande empresa estatal, à qual chegou, sem aviso, um diretor executivo do qual queriam manter-se afastados. Ele foi instalado em uma sala distante, sem missão definida, sem contatos, com um telefone que não estava conectado a nada. Depois de um certo tempo em tal situação, esse executivo preferiu matar-se.

Pôr em quarentena é algo muito mais gerador de estresse do que sobrecarregar de trabalho, e torna-se rapidamente um processo destruidor. Os dirigentes sentem-se à vontade para servir-se deste sistema com o fim de levar à demissão alguém de quem não mais necessitam.

Vexar

Consiste em confiar à vítima tarefas inúteis ou degradantes. É assim que Sonia, apesar de seu título de mestrado, vê-se colando selos em um local de trabalho exíguo e mal-ventilado.

Ou fixar objetivos impossíveis de serem atingidos, obrigando a pessoa a ficar até tarde da noite, a voltar nos fins de semana, para ver em seguida esse trabalho tão urgente jogado no lixo.

Ou podem ser igualmente agressões físicas, mas não diretas, negligências que provocam acidentes: objetos pesados que caem, como que por acaso, sobre os pés da vítima.

Induzir ao erro

Um meio bastante hábil de desqualificar uma pessoa consiste em induzi-la a cometer uma falta não só para criticá-la ou rebaixá-la, mas também para que tenha uma má imagem de si mesma. É muito fácil, com uma atitude de menosprezo ou de provocação, levar uma pessoa impulsiva a um acesso de cólera ou a um comportamento agressivo, observável por todos, para poder dizer em seguida: "Vocês viram, esta pessoa é completamente louca! Ela atrapalha o serviço."

O assédio sexual

O assédio sexual não é senão um passo a mais na perseguição moral. Tem relação com os dois sexos, mas a maior parte dos casos descritos, ou de que há queixas, refere-se a mulheres agredidas por homens, freqüentemente por seus superiores hierárquicos.

Não se trata tanto de obter favores de natureza sexual quanto de afirmar o próprio poder, de considerar a mulher como seu objeto (sexual). Uma mulher assediada sexualmente é considerada por seu agressor como estando "à disposição". Ela deve

Assédio moral

aceitar e até sentir-se lisonjeada, realçada, por ter sido "escolhida". O assediador não admite que a mulher visada possa dizer não. Aliás, se ela o faz, sofre em revide humilhações e agressões. Não é raro que o agressor diga que foi ela quem o provocou, que ela era permissiva ou que foi ela quem tomou a iniciativa.

Diferentes tipos de assediadores foram descritos – tendo todos em comum o ideal de papel masculino dominante e atitudes negativas para com as mulheres e o feminismo – e diferentes categorias de assédio sexual foram assim identificadas[2]:

– o assédio de gênero, que consiste em tratar uma mulher diferentemente por ser uma mulher, com comentários ou comportamentos sexistas;

– o comportamento sedutor;

– a chantagem sexual (a única a ser efetivamente reprimida na França);

– a atenção sexual não desejada;

– a imposição sexual;

– a ofensiva sexual.

Desde 1976, o sistema judiciário americano reconhece o assédio sexual como forma de discriminação sexual, ao passo que na França ele só é considerado infração quando inclui uma chantagem explícita à possibilidade de demissão.

Em uma pesquisa realizada nos Estados Unidos,[3] uma média de 25% a 30% dos estudantes relata ter sido vítima de pelo menos um incidente de assédio sexual na universidade (comentários sexistas, olhares sugestivos, contatos ou observações sexuais impróprias) por parte de professores.

---

[2] Fitzgerald, "Sexual Harassment: the Definition and Measurement of a Construct", in M.A. Paludi (org.), *Ivory Power: Sexual Harassment on Campus*, Albany, State University of New York Press.

[3] MacKinney e Maroules, 1991, citado por G.-F. Pinard, in *Criminalité et psychiatrie*, Paris, Ellipses, 1997.

O ponto de partida do assédio

Embora os grandes perversos sejam raros nas empresas, eles são perigosos nesses ambientes em virtude de seu poder de atração e de sua capacidade de levar o outro a ultrapassar os próprios limites.

Uma luta pelo poder é legítima entre indivíduos rivais quando se trata de uma competição em que cada um tem sua oportunidade. Certas lutas, no entanto, são, de saída, desiguais. É o que sucede no caso de um superior hierárquico, ou quando um indivíduo reduz sua vítima a uma posição de impotência para depois agredi-la com total impunidade, sem que ela possa revidar.

O abuso de poder

A agressão, no caso, é clara: é um superior hierárquico que esmaga seus subordinados com seu poder. Na maior parte das vezes, é este o meio de um pequeno chefe valorizar-se. Para compensar sua fragilidade identitária, ele tem necessidade de dominar e o faz tanto mais facilmente quanto mais o empregado, temendo a demissão, não tiver outra escolha a não ser submeter-se. A pretexto de manter o bom andamento da empresa, tudo se justifica: horários prolongados, que não se podem sequer negociar, sobrecarga de trabalho dito urgente, exigências descabidas.

Porém, pressionar sistematicamente os subordinados é um estilo de gerenciamento ineficaz e de pouco rendimento, pois a sobrecarga de estresse pode gerar erros profissionais e levar a licenças de tratamento de saúde. Uma mão-de-obra feliz é muito mais produtiva. No entanto, um pequeno chefe, ou até mesmo a direção, mantêm a ilusão de que assim obtêm um máximo de rentabilidade.

Em princípio, o abuso de poder não é dirigido especificamente contra um único indivíduo. Trata-se, apenas, para o agressor de esmagar alguém mais fraco que ele próprio. Nas empresas, esse abuso pode transmitir-se em cascata, da mais alta chefia ao menor chefe na escala.

O abuso de poder dos chefes sempre existiu, mas atualmente fica muitas vezes disfarçado. Os diretores falam em autonomia e espírito de iniciativa a seus empregados, mas só exigem deles submissão e obediência. Os assalariados produzem porque estão obcecados com as ameaças referentes à sobrevivência da empresa, ou pela perspectiva de perder o emprego, ou por estarem sendo continuamente chamados à atenção, ou seja, por sua eventual culpa.

Eva trabalha há um ano em uma microempresa familiar de tipo comercial. O ritmo de trabalho é rápido e as horas extras não são computadas. Quando há reuniões nos fins de semana, até os empregados que têm que estar no trabalho na segunda-feira às oito horas da manhã precisam comparecer.

O patrão é tirânico, nunca está satisfeito. Todo mundo tem que obedecer à risca. Se o pessoal não se mostra extremamente eficiente, ele se põe a gritar. E não há meio de se defender: "Se não está satisfeito, caia fora!" Essas agressões verbais paralisam Eva. Cada vez que as ouve, sente-se à beira de um mal-estar e tem que tomar remédios para gastrite e calmantes. Esgotada, ela tenta recuperar-se passando os fins de semana dormindo, mas até mesmo seu sono é agitado e pouco reparador.

Depois de um período com essa sobrecarga profissional, ela tem crises de angústia cada vez mais freqüentes, cai em prantos por qualquer motivo, não dorme mais, não consegue comer. Seu médico a põe em licença para tratamento de saúde, devido à depressão. Depois de dois meses de licença, ela está finalmente em condições de retornar ao trabalho. Na volta, ela é mal-acolhida pelos colegas, que põem em dúvida a realidade de sua doença. Ela não encontra mais nem a sua mesa de trabalho, nem o seu computador. E passa a enfrentar um ambiente de terror: censuras injustificadas, agressões verbais, tarefas humilhantes em relação a seu nível de competência, críticas sistemáticas ao trabalho apresentado.

Ela não ousa dizer nada e vai chorar no banheiro. De noite, está exausta. Pela manhã, ao chegar a seu local de trabalho, sente-se culpada, mesmo não tendo feito nada errado, pois todos na empresa estão pisando em ovos e vigiam-se uns aos outros.

Eva descreve seu trabalho como sendo uma fábrica de estresse. Todos os colegas se queixam de sintomas psicossomáticos: dores de cabeça, dores na coluna, colites, eczemas, mas, como crianças apavoradas, não ousam queixar-se diretamente do patrão que, de qualquer forma, "não tem nada a ver com isso".

Seis meses depois de sua licença no trabalho, Eva é chamada para uma entrevista que antecipa a demissão. Isto acontece exatamente depois de ter faltado um dia após uma reunião em que ela havia passado mal. A carta de chamada constitui para ela um detonador. Pela primeira vez ela sente raiva, sente a injustiça e a má-fé do patrão, e está realmente decidida a não deixar que façam dela gato e sapato. Apesar de sentir-se culpada – "Eu me pergunto até que ponto eu mesma não provoquei isso" –, ela age.

Faz consultas e vai à entrevista acompanhada de um advogado trabalhista de fora da empresa. O motivo oficial alegado é a perda de confiança porque ela se ausentou por múltiplas licenças de saúde e não avisou imediatamente. O advogado faz ver que sua última falta foi por ocasião de uma reunião de fim de semana, quando era impossível comunicar-se com o patrão. E que nada do que o patrão alega constitui motivo sério para uma demissão. Ele diz que vai pensar, pois tem tempo de sobra antes de chegar a uma demissão.

Para defender-se eficazmente, é preciso que alguém conheça bem seus direitos. Eva informa-se sobre seus direitos. Sabe também quais os erros que não devem ser cometidos.

Assédio moral 85

Se não tivesse ido à entrevista acompanhada, seu patrão a teria aterrorizado, como costumava fazer, em vez de "dar-lhe uma outra chance", como disse em tom paternalista. Eva espera sua carta de demissão, que não chega. Continua fazendo seu trabalho com certo prazer, mas o estresse no ambiente é tal que, de novo, ela não consegue dormir e sente-se esgotada. A partir daquela entrevista sua situação torna-se ainda mais incômoda. Diariamente, recebe um fax com pequenas admoestações. Seus colegas lhe dizem: "Você não devia ter feito aquilo, você atiçou a raiva dele!" Ela tem que justificar-se por tudo e, prudentemente, faz fotocópias de todas as comunicações importantes. Tem também que estar atenta em não cometer erros, não ser apanhada em falta. Na hora do almoço, ela leva consigo suas notas pessoais, mesmo vendo os colegas rirem de sua paranóia: "Você sai para almoçar com sua pasta, como uma estudante!" Alguns deles atiram os relatórios em cima de sua mesa sem dirigir-lhe a palavra. E se ela protesta, retrucam: "Qual é o problema?" Eva se encolhe para não atrair brincadeiras. O patrão a evita e lhe transmite todas as ordens por escrito.

Um mês depois, ele recomeça um processo de demissão porque, segundo diz, a atitude de Eva não se modificou. Desta vez, como já ficou claramente visto que ele não tem outros motivos para dispensá-la a não ser o fato de que não a suporta, o advogado negocia por ela os termos econômicos da demissão. Temendo que Eva vá à Justiça do Trabalho, o patrão assina um termo de acordo.

Depois de sua saída, Eva fica sabendo que cinco de seus colegas, dos quais três tinham a função de executivos, vão sair também. Um pediu demissão porque encontrou emprego melhor em outro lugar, mas os outros quatro simplesmente pediram demissão e saem sem vantagem alguma.

As manobras perversas

Quando um indivíduo perverso entra em um grupo, tende a reunir em torno de si os membros mais dóceis do grupo que ele seduz. Se um indivíduo não se deixa entrar nessa tropa, é rejeitado pelo grupo e passa a ser escolhido como bode expiatório. Cria-se, assim, um vínculo social entre os membros do grupo, com críticas à pessoa isolada por meio de maledicências e ironias. O grupo fica, então, sob influência do perverso e o imita em seu cinismo e falta de respeito. Cada indivíduo não perde com isso todo o seu senso moral, mas, tornando-se dependente de um indivíduo sem escrúpulos, perde todo o senso crítico.

Stanley Milgram, psicólogo social americano, estudou entre 1950 e 1963 os fenômenos de submissão à autoridade.[4] Seu método era o seguinte: "Uma pessoa vem a um laboratório de psicologia, onde se lhe pede que execute uma série de ações que vão, progressivamente, entrar em conflito com a sua consciência. A questão é saber até que ponto ela seguirá as instruções do pesquisador antes de recusar-se a executar as ações prescritas." Em sua conclusão, Milgram é levado a crer que "pessoas comuns, desprovidas de qualquer hostilidade, podem, simplesmente, para levar a cabo as tarefas, tornar-se agentes de um atroz processo de destruição". Essa constatação é ratificada por Christophe Dejours[5], que fala da banalização social do mal.

Há, realmente, indivíduos que têm necessidade de uma autoridade superior para chegar a um certo equilíbrio. Os perversos recuperam em proveito próprio essa docilidade e a utilizam para infligir sofrimento aos outros.

A finalidade de um indivíduo perverso é chegar ao poder, ou nele manter-se, não importa por que meios, ou então mascarar a própria incompetência. Para isso ele precisa desembaraçar-se de todo aquele que possa constituir um obstáculo à sua

---

[4] S. Milgram, *Soumission à l'autorité*, trad. franc., Paris, Calman-Lévy, 1974.
[5] C. Dejours, *Souffrance en France*, Paris, Seuil, 1998.

Assédio moral

ascensão, ou que seja demasiado lúcido quanto a suas formas de consegui-lo. Ele não se contenta em atacar alguém que está fragilizado, como no caso do abuso de poder: ele cria a fragilidade a fim de impedir que o outro possa defender-se.

O medo gera condutas de obediência, ou mesmo de submissão, por parte da pessoa visada, mas também por parte dos colegas que deixam que tal aconteça, que não querem ver o que se passa em torno deles. É o que se dá no atual reinado do individualismo, do "cada um por si". Quem está em torno teme, caso se mostre solidário, ser estigmatizado e ver-se jogado na próxima onda de demissões. Em uma empresa, não se pode levantar ondas. É preciso vestir a camisa da firma e não se mostrar demasiado diferente.

O filme americano *Swimming with sharks*, de George Huang (1995), resume todas as humilhações e todas as torturas mentais que um patrão egocêntrico e sádico pode infligir a um empregado ambicioso, pronto a aceitar tudo a fim de ter sucesso. Vemo-lo injuriar seu pessoal, mentir sem escrúpulos, dar ordens incoerentes, manter um empregado à sua disposição dia e noite, e mudar as regras para mantê-lo seguidamente pisando em ovos. O pessoal é avisado: "Ter jogo de cintura é não só aconselhável, como traz recompensas!" Além de tudo isso, o patrão continua provocando sua nova contratada e, para seduzi-la, acena-lhe com uma promoção: "Dê-me prazer. Cale-se, escute e registre, apenas. Você não tem cérebro. Suas opiniões pessoais não valem nada. O que você pensa não tem o menor interesse. O que você sente também não interessa. Você está a meu serviço. Você está aqui para proteger meus interesses e responder a minhas necessidades... Eu não quero martirizá-la. Só quero ajudá-la, porque, se você fizer bem o que eu mando, se ouvir e registrar tudo, então poderá vir a ter tudo que quiser."

Um perverso age tanto melhor em uma empresa quanto mais ela for desorganizada, mal-estruturada, "depressiva". Basta-lhe encontrar a brecha e ele vai ampliá-la para realizar seu desejo de poder.

A técnica é sempre a mesma: utilizam-se as fraquezas do

outro e leva-se o outro a duvidar de si mesmo, a fim de aniquilar suas defesas. Por um procedimento insidioso de desqualificação, a vítima perde progressivamente a confiança em si, e por
vezes fica tão confusa que pode chegar a dar razão a seu agressor: "Eu sou nulo, eu não consigo, eu não estou à altura!"
Assim, a destruição se dá de forma extremamente sutil, até que
a própria vítima se põe na condição de quem está em erro.

Miriam é *designer* numa agência de publicidade. Em princípio, ela é a única responsável por suas criações, mas tudo é
coordenado por um diretor que é o interlocutor direto do
presidente. Sendo uma profissional responsável, ela se
empenha no que faz, trabalha até nos fins de semana e passa noites em claro pelas quais não recebe extra. Mas a partir
do momento em que afirma claramente sua autonomia de
criação, inquietando-se com o que acontece com seus projetos, colocam-na "em seu devido lugar".
Quando ela remete um projeto, o diretor, mesmo não sendo um *designer*, retoma o que ela fez e modifica-o a seu bel
prazer, sem sequer avisá-la. Se ela pede explicações, ele responde com desenvoltura e um grande sorriso: "Mas o que
é isso, Miriam, isso não tem a menor importância!" Miriam
sente uma cólera interior que ela raramente consegue
expressar: "Eu trabalhei três dias neste projeto e em alguns
segundos ele apaga tudo sem sequer se dar ao trabalho de
me dar explicações. Como querem que eu tenha vontade
de criar para alguém que nega meu trabalho?"
Não há meios de se falar a esse respeito. Tudo fica em um
não-dito. Diante do diretor, empregado algum pode dizer o
que pensa, todos têm medo de suas crises. A única solução
é esquivar-se permanentemente. Instala-se um clima de
desconfiança. Todos se perguntam aonde isso vai chegar.
Utilizando-se do humor ou do deboche, ele age de modo a
fazer com que cada um seja conforme o que ele espera.
Quando ele chega, todo mundo fica imediatamente mais

Assédio moral 89

tenso, como se apanhado em falta. Para evitar aborrecimentos, a maior parte dos empregados decidiu-se pela autocensura.

Tendo em vista o excesso de trabalho, o diretor permitiu que Miriam chamasse um assistente. Imediatamente ele procurou colocá-los um contra o outro. Quando Miriam diz o que acha de um projeto pelo qual é responsável, ele não a ouve e, com um dar de ombros, vira-se para o assistente: "E você, você certamente tem uma idéia melhor, não?"

Ele exige de Miriam que ela faça cada vez mais, e cada vez mais rápido. Se lhe pede para fazer alguma coisa que ela considera inadequada e recusa, pois ela tem sua criação em alto conceito, ele a culpa dizendo-lhe que ela é uma pessoa difícil. E ela acaba aceitando isso.

Mas, quando resiste, isso gera nela um tal estresse que fica com dor no ventre desde o momento que acorda. Em seu local de trabalho ela tem apnéia, sente-se sufocada.

O diretor de Miriam quer controlar tudo, não quer compartilhar o poder. Invejoso, ele gostaria de apropriar-se das criações dela. Essa maneira de administrar, quando funciona, torna o patrão onipotente. Certas pessoas acomodam-se a essa posição infantil; os conflitos entre colegas tornam-se então briguinhas de irmãos. Miriam resiste, mas não ousa ir até o fim porque não quer perder o emprego. Mas ela está atingida, desmotivada: "Eu agora compreendo como é que se pode chegar a um crime, porque, vendo-me impotente, a violência interna que eu sinto é terrível!"

Se alguns empregadores tratam seus empregados como crianças, outros os consideram como "coisas" suas, que podem ser utilizadas a seu bel prazer. Quando se trata, como no caso acima, de criação, é um golpe ainda mais direto contra a pessoa. Extingue-se, assim, no empregado, tudo que ele poderia ter de inovador, toda iniciativa. No entanto, se o empregado é útil ou indispensável, para que ele não vá embora é preciso paralisá-lo, impedi-lo de pensar, de sentir-se capaz de trabalhar em outro lugar. É preciso levá-lo a crer que ele não vale mais que sua posição na empresa. Se ele resiste, é isolado. Cruzam com ele sem lhe dizer bom-dia, sem olhá-lo, ignoram suas sugestões, recusa-se-lhe todo e qualquer contato. A seguir começam a surgir as observações ferinas e desabonadoras e, se isto não basta, aparece a violência.

Quando a vítima reage e tenta rebelar-se, a maldade latente dá lugar a uma hostilidade declarada. Tem início, então, a fase de destruição moral, que já foi denominada de *psicoterror*. Nela todos os meios são permitidos para demolir a pessoa visada, inclusive a violência física, o que pode levar a um aniquilamento psíquico ou ao suicídio. Nesta forma de violência, o interesse da empresa some da vista do agressor, que quer unicamente a derrota de sua vítima.

No funcionamento perverso, não existe apenas a busca do poder, há sobretudo um enorme prazer em usar o outro como objeto, como uma marionete. O agressor reduz o outro a uma posição de impotência para em seguida destruí-lo com total impunidade. Para obter o que deseja, ele não hesita em servir-se de todos os meios, mesmo, ou sobretudo, se isso se dá em detrimento dos outros. Rebaixar os demais a fim de conseguir uma boa auto-estima parece-lhe legítimo. Ele não tem o mínimo respeito para com o outro. O que espanta é a sua animosidade sem limites pelos motivos mais fúteis e uma absoluta falta de compaixão pelas pessoas encurraladas em situações insuportáveis. Aquele que inflige tal violência ao outro julga que este a merece e não tem sequer o direito de queixar-se. A vítima não passa de um objeto incômodo, cuja identidade é negada. Ele não lhe reconhece qualquer direito a um sentimento ou a uma emoção.

Diante dessa agressão, que não compreende, a vítima vê-se sozinha, pois, como em todas as situações perversas, existe nos que a rodeiam covardia ou complacência, por medo de se tornarem um novo alvo, ou até, por vezes, por gozarem de maneira sádica com o espetáculo dessa destruição.

Em uma relação normal, é sempre possível, por necesidade surgida no próprio conflito, pôr um limite ao excesso de poder do outro, para impor um equilíbrio de forças. Mas um perverso manipulador, não suportando a menor oposição a seu poder, transformará uma relação conflitiva em ódio, a ponto de querer a destruição do parceiro.

Lúcia trabalha há dez anos como comerciária em uma pequena empresa familiar à qual é muito apegada, tendo participado de sua criação. No início, era um verdadeiro desafio conseguir clientes.

O patrão mostrou-se sempre encantador, paternal, soberano, mas, a partir do momento em que a empresa levantou vôo, passou a impor-se como tirano, como déspota. Não diz bom-dia ao chegar, não olha para os empregados quando lhes dá ordens, exige que as portas das salas fiquem fechadas, dá os avisos de reunião cinco minutos antes etc. Todos esses pequenos detalhes são exaustivos, pois os obrigam a estar permanentemente de sobreaviso. Para melhor dominar, ele estimula a maledicência, os conflitos, adula os mais dóceis e opõe-se aos que lhe resistem. Para resistir ao que considera uma tomada de poder, Lúcia tende a manter-se à parte, o que é interpretado como forma de rebelião. Tudo vem abaixo quando o patrão contrata uma outra funcionária. De imediato, a recém-chegada é colocada em um pedestal, com um tratamento de favor evidente a todos. Diante de injustiça tão flagrante, que soa como uma indisfarçada tentativa de sedução, a jovem contratada mostra-se, por sua vez, desconfiada e prefere sair. O patrão a faz voltar, convence-a, faz saber a todos que essa confusão foi por causa dos ciúmes de Lúcia.

Ao colocar as duas mulheres como rivais, o patrão julga que elas irão agredir-se reciprocamente e que assim as controlará mais facilmente.

A partir daí, Lúcia é isolada. As informações não lhe são mais transmitidas. Seu trabalho não é reconhecido, nada está bom nunca. Espalha-se por toda a empresa que ela é incompetente. Mesmo sabendo que é eficiente em seu trabalho, ela acaba duvidando da própria capacidade. Torna-se estressada, confusa, mas esforça-se em não demonstrar isto, pois sente que é algo que poderá ser usado contra ela Os outros empregados mantêm-se a distância, pois os que parecem muito próximos a ela são imediatamente desqualificados.

Como muitas outras vítimas de perseguição moral, Lúcia demorou a reagir. Inconscientemente, ela havia colocado seu patrão na posição de pai.

No dia em que ela o ouve proferir frases injuriosas a seu respeito diante de uma colega, ela exige uma entrevista com ele:

"O senhor me insultou. O que é que o senhor tem a reclamar de mim?"

"Eu não tenho medo de nada. Pode ir embora."

"Eu não vou embora enquanto o senhor não me disser o que é que tem contra mim."

O patrão então perde o sangue-frio. Furioso, vira a mesa e quebra tudo que está em volta dele: "Você é uma incapaz e eu já estou farto de sua maldade!"

Não percebendo que ela não vai ceder, o patrão joga a cartada do terror: inverte os papéis e coloca-se na posição de vítima de uma funcionária agressiva.

Lúcia, que durante muito tempo se sentira como que protegida por ele, não consegue compreender o menosprezo e o ódio que ora vê em seus olhos. Mas a violência física serve de gota d'água. Ela decide dar queixa. Seus colegas tentam dissuadi-la: "Pára com isso, você vai ter problemas. Ele vai acabar se acalmando!" Ela faz pé firme e telefona para seu advogado, para saber como deve proceder. É trêmula e em lágrimas que vai dar queixa à polícia. A seguir procura um médico, que lhe dá um ITT (incapacidade temporária

Assédio moral 93

total, o equivalente jurídico à licença de trabalho) por oito dias. No final do expediente ela apenas passa de novo no trabalho para pegar sua bolsa.

Dar queixa é o único meio de acabar com esse psicoterror. Mas é preciso ter coragem, ou ter chegado realmente a uma situação-limite, pois isso implica em uma ruptura definitiva com a empresa. Além disso não há a certeza de que a queixa será acolhida, nem que o processo desencadeado venha a ter um resultado positivo.

A empresa que nada faz

Esse tipo de procedimento só é possível quando a empresa finge não vê-lo, ou mesmo quando o encoraja. Há diretores que sabem tomar medidas autoritárias quando um funcionário não é competente, ou quando seu rendimento é insuficiente, mas não sabem repreender um empregado desrespeitoso ou inconveniente em relação a um(a) colega. "Respeitam" o domínio privado, não se metem nele, alegando que os empregados são suficientemente adultos para resolver tudo sozinhos, mas não respeitam o próprio indivíduo.

Se a empresa é assim condescendente, a perversão gera a emulação entre indivíduos que não são propriamente perversos, mas que perdem seus referenciais e se deixam persuadir. Não acham mais chocante que um indivíduo seja tratado de maneira injuriosa. Não se sabe onde está o limite entre o fato de criticar ou censurar seguidamente alguém para estimulá-lo e o fato de persegui-lo. A fronteira corresponde ao respeito pelo outro, mas, em um contexto de competição, todos os direitos – e até o sentido primeiro deste termo, inscrito na Declaração dos Direitos do Homem – são esquecidos.

A ameaça de perder o emprego permite erigir a arrogância e o cinismo como métodos de gerenciamento. Em um sistema de concorrência desenfreada, a frieza e a dureza tornam-se a norma. A competição, sejam quais forem os meios utilizados, é considerada válida e os perdedores são deixados de lado. Os indivíduos que temem o confronto não usam procedimentos diretos para obter o poder. Eles manipulam o outro de maneira sub-reptícia ou sádica a fim de obter sua submissão. Realçam sua própria imagem desqualificando a do outro.

Em tal contexto, um indivíduo ávido de poder pode utilizar a confusão do ambiente para desestruturar com total impunidade seus rivais potenciais. Um único indivíduo que não seja controlado pela empresa pode impunemente manipular e destruir outros indivíduos a fim de conquistar, ou conservar, o poder.

Certas características da empresa podem facilitar a implantação desse estado de cerco ou assédio.

O que nenhum especialista contesta é que, nos grupos que trabalham sob pressão, os conflitos nascem muito mais facilmente. As novas formas de trabalho, que visam fazer crescer o desempenho nas empresas, deixando de lado todos os elementos humanos, são geradoras de estresse e criam, assim, as condições favoráveis à expressão da perversidade.

Em seu início, o estresse é um fenômeno fisiológico de adaptação do organismo a uma agressão, seja ela qual for. Nos animais é uma reação de sobrevivência. Diante de uma agressão, eles têm que optar entre a fuga ou a luta. Para um assalariado essa escolha não existe. Seu organismo, como o do animal, reage em três fases sucessivas: alerta, resistência e depois esgotamento. Mas esse fenômeno fisiológico perdeu seu sentido primeiro, de reação física, e passou ao de adaptação social e psicológica. Pede-se aos assalariados que trabalhem demais, que trabalhem com urgência e que sejam polivalentes. Médicos do trabalho de Bourg-en-Bresse, em seu relatório anual de 1996, fizeram uma análise das conseqüências da atual "flexibilização" sobre os trabalhadores dos matadouros: "Existem, não há dúvida, pressões econômicas que atuam fortemente sobre este setor de atividade, mas, se formos ver mais de perto, constatamos em certos matadouros uma ultrapassagem das pressões 'habituais', ou seja, a exigência de uma rapidez cada vez maior, horários

Assédio moral 95

excessivos e atípicos e, cada vez mais, uma inédita falta de consideração pelo trabalhador."

O estresse no trabalho e o custo econômico de suas conseqüências sobre a saúde continuam sendo um fenômeno ainda pouco quantificado na França. O estresse não é reconhecido nem como doença profissional nem como causa direta de licença de trabalho. No entanto, os médicos do trabalho e os psiquiatras têm constatado um aumento de distúrbios psicossomáticos, de abuso do álcool ou de psicotrópicos relacionados com uma excessiva pressão no trabalho.

A desorganização de uma empresa é sempre geradora de estresse, quer se trate de uma inadequada definição dos papéis (não se saber quem faz o quê, quem é responsável por quê), de um clima organizacional instável (alguém acaba de ser nomeado para um cargo e não se sabe se vai permanecer nele), ou ainda de uma falta de coordenação (as decisões são tomadas sem a concordância das pessoas interessadas). O peso de certas administrações, ou de empresas excessivamente hierarquizadas, permite a alguns indivíduos sequiosos de poder encarniçar-se contra outros indivíduos com total impunidade.

Certas empresas são "espremedoras de sucos". Fazem vibrar a corda afetiva, utilizam seu pessoal pedindo sempre mais, prometendo mil coisas. Quando o empregado, usado, não é mais suficientemente rentável, a empresa livra-se dele sem o menor escrúpulo. O mundo do trabalho é extremamente manipulador: mesmo quando, em princípio, o afetivo nele não está diretamente em jogo, não é raro que, para motivar seu pessoal, uma empresa estabeleça com ele uma relação que ultrapassa em muito a relação contratual normal que se pode ter com um empregador. Exige-se dos empregados que invistam corpo e alma em seu trabalho, em um sistema que os sociólogos Nicole Aubert e Vincent de Gaujelac[6] qualificam de "managinário"*, transformando-os, assim, em "escravos dourados". Por um lado, exige-

---

[6] N. Aubert e V. de Gaulejac, *Le Coût de l'excellence*, Paris, Seuil, 1991.

* Fusão de *manager* – gerente, empresário ou treinador – com *imaginário*. (N. do T.)

se demasiado deles, com todas as conseqüências de estresse daí decorrentes; por outro, não há o menor reconhecimento em relação a seus esforços e a sua pessoa. Eles se tornam peões intercambiáveis. Além disso, em certas empresas age-se de modo que os empregados não fiquem por muito tempo no mesmo cargo, no qual poderiam adquirir um maior número de aptidões. Preferem mantê-los em estado permanente de ignorância, de inferioridade. Toda originalidade ou iniciativa pessoal perturba. Cassam-se os *élans* e as motivações recusando-se toda responsabilidade e toda formação. Os empregados são tratados como colegiais indisciplinados. Não podem rir ou ter um ar descontraído sem serem chamados à atenção. Às vezes se lhes pede que façam uma autocrítica durante as reuniões semanais, transformando assim os grupos de trabalho em humilhação pública.

O que agrava esse processo é que, atualmente, inúmeros deles são subempregados e têm um nível de estudo equivalente ou até mesmo mais alto que o de seu superior hierárquico. Que passa, então, a aumentar a pressão até um ponto em que o funcionário não possa mais aceitar conscientemente, ou que ele acabe por vir a cometer erros. As pressões econômicas fazem com que se peça cada vez mais aos assalariados, com consideração cada vez menor. Há uma desvalorização da pessoa e de seu *know-how*. O indivíduo não conta. Sua história, sua dignidade, seu sofrimento estão importando muito pouco.

Diante dessa "coisificação", dessa robotização dos indivíduos, a maior parte dos empregados em empresas privadas sente-se em uma situação excessivamente frágil para fazer algo mais que protestar interiormente e baixar a cabeça, à espera de dias melhores. Quando o estresse aparece, com seu cortejo de insônia, cansaço, irritabilidade, não é raro que o assalariado recuse a licença de trabalho que lhe é proposta por seu médico com medo das represálias no momento da volta.

Há várias maneiras de livrar-se de um empregado que incomoda, mesmo quando não se tem nada a censurar-lhe:

– uma reestruturação do serviço que leve a suprimir seu cargo;

Assédio moral **97**

– pode-se então demiti-lo por razões econômicas;

– dar-lhe uma tarefa difícil e procurar os erros que tenha cometido para depois demiti-lo por essa falha;

– pode-se também acossá-lo psicologicamente para fazê-lo desmoronar e, por que não?, levá-lo assim a pedir demissão.

Mesmo quando isso não é feito conscientemente, o assédio passa a ter lugar quando o empregado já está fragilizado por alguma causa exterior ao trabalho. Se uma pessoa dá a impressão de estar menos disponível para a empresa por razões pessoais (um divórcio, por exemplo), começa-se insidiosamente a censurá-la por coisas que, certas ou erradas, não eram antes objeto de reclamação. O que antes se aceitava não mais se tolera porque se sente que a pessoa baixou a guarda. Os instigadores desse assédio estão persuadidos de que têm razão e que a pessoa é realmente incompetente.

Servir-se das fraquezas do outro é um procedimento habitualmente utilizado, e até mesmo valorizado, no mundo dos negócios ou da política. Há orgulho em ter sucesso "em um cesto de caranguejos" ou em um "mundo de tubarões".

Olivier é sócio majoritário de um grande escritório de consultoria. Desde que foi inaugurado, o escritório veio crescendo muito, e recentemente jovens com diplomas foram a ele agregados, esperando uma ascensão rápida. O outro sócio majoritário do grupo, François, amigo de longa data, nem sempre tem práticas muito claras. Olivier não participa de suas tramóias, que desaprova, mas não chega, por isso, a pôr em questão uma sociedade que, para ele, é a base de seu sucesso.

Um dia, ele ouve seus colaboradores falarem de um boato segundo o qual alguém quer a pele dele e que ele vai ter aborrecimentos com empregados descontentes devido a um litígio causado por François. Decide indagar François a esse respeito, que lhe responde com um ataque: "Se você quer ficar quebrando a cabeça, fique, eu não estou sabendo de nada!"

Olivier há muito sabe que François não respeita ninguém. Que usa os outros acenando-lhes com possíveis vantagens no poder e agindo de modo a atiçar os conflitos entre os sócios minoritários para melhor assegurar a própria posição. No escritório reina um clima doentio, de luta subterrânea. Sentindo isso, um jovem colaborador prefere demitir-se, pois sabe que, no caso de um *crash*, os que chegaram por último serão os mais vulneráveis.

Para desestabilizar Olivier, François controla os relatórios, ou os deixa em mãos dos colaboradores mais influenciáveis. De início Olivier defende-se mal. Mesmo conhecendo seus duvidosos métodos de gerenciamento, não consegue crer que seu velho companheiro de faculdade possa, com ele, agir dessa maneira. Só quando constata que François faz saques na conta conjunta sem avisá-lo é que Olivier reage e arma uma estratégia de defesa.

A empresa que estimula os métodos perversos

A própria empresa pode tornar-se um sistema perverso quando o fim justifica os meios e ela se presta a tudo, inclusive a destruir indivíduos, se assim vier a atingir seus objetivos. Neste caso, é no nível da organização do trabalho que, por um processo perverso, a mentira serve ao desenvolvimento da empresa.

Em um sistema econômico competitivo, inúmeros dirigentes só conseguem enfrentar essa competição e manter-se com um sistema de defesa destruidor, recusando-se a levar em conta os elementos humanos, fugindo de suas responsabilidades e chefiando por meio da mentira e do medo. Os procedimentos perversos de um indivíduo podem, então, ser utilizados deliberadamente por uma empresa que espere deles tirar um melhor rendimento. Foi o que aconteceu na fábrica Maryflo, pequena empresa de *pret-à-porter* do Morbihan.

Nessa fábrica, todo o pessoal é feminino, inclusive a presidente. O único homem é o diretor, um chefete que menospre-

Assédio moral 99

za, humilha, fere e injuria o pessoal em nome do rendimento. Seus métodos: acossar as operárias para aumentar o ritmo de produção, cronometrar as pausas, insultar, tudo isso com a cumplicidade da presidente, que tem plena ciência de tais métodos e nada diz contra eles.

As operárias acabam articulando uma greve, mas, antes mesmo de explodir o conflito, que vai durar seis meses, as câmeras de televisão do *"Strip-tease"* (canal France 3) gravam um programa na fábrica focalizando principalmente o diretor. Embora sabendo-se filmado, este em nada modifica seus métodos humilhantes: ele os considera legítimos. E nem por um instante questiona o que faz. Quando estoura a greve, em janeiro de 1997, 85 das 108 operárias saem da fábrica pedindo demissão do diretor, o que acabam conseguindo, mas 64 operárias são demitidas. O diretor, apesar de ter tido seus métodos denunciados em toda a mídia, encontra rapidamente um novo posto em uma fábrica duas vezes maior.

O poder constitui uma arma terrível quando em mãos de um indivíduo – ou de um sistema – perverso.

Clemência é uma mulher jovem e bonita, diplomada por uma Escola de Administração e com um diploma universitário em marketing. Ao concluir seus cursos conseguiu apenas um contrato temporário, e depois ficou desempregada. Foi, portanto, com alívio que se viu chamada para ser a responsável por marketing e comunicação em uma firma de grande porte, cujo presidente tinha até então preenchido também esta função. Vê-se na condição de única mulher no quadro de direção – primeiro sob responsabilidade de um sócio, que decide ir embora, depois sob as ordens diretas do presidente.

A partir desse momento ele começa a tratá-la rudemente: "O que você faz é nulo, não vale nada!" "Parece até que você não conhece nada de marketing!" Nunca ninguém lhe havia falado dessa maneira, mas ela não ousa dizer nada porque tem medo de perder um posto que, acima de tudo, lhe interessa.

Quando ela dá sugestões, ele se apropria delas, e depois comenta que ela não serve para nada porque não sabe tomar iniciativas. Se ela protesta, ele se irrita: "Cala essa boca e faz o que eu estou mandando!" Nunca lhe pede um trabalho diretamente: joga um relatório sobre sua mesa com uma pequena nota ordenando a execução. Nem jamais a felicita pelos bons resultados obtidos ou a estimula de algum modo. Os executivos da empresa, em sua maioria homens que se identificam com o presidente, põem-se por sua vez a falar-lhe com rispidez e a evitá-la. Como as salas não são fechadas, todo mundo espiona todo mundo. É muito mais difícil defender-se.

Um dia ela se arrisca a ir falar com o presidente. Ele não responde nada e fica olhando para outro ponto, como se não houvesse escutado. Quando ela insiste, ele banca o idiota: "Não estou entendendo!"

Embora seu trabalho seja antes de mais nada um trabalho de comunicação, proíbem-lhe de "incomodar as pessoas" falando diretamente com elas. Tem que se comunicar exclusivamente por *e-mail*.

Os postos de telefone e de computador da firma têm seu acesso através de senhas. Ao voltar de alguns dias de licença para tratamento de saúde, ela vê que suas senhas foram mudadas e tem que esperar que uma secretária, próxima ao presidente, se digne a desbloquear seu computador. Ela protesta:

"Você poderia ter reposto as coisas no lugar, já que trabalhou em meu equipamento!

"Não me faça abrir o bico, eu não sei quem você pensa que é, todo mundo sabe que você é paranóica!"

Em seguir Clemência fica sabendo que chamadas telefônicas importantes para ela foram canceladas por essa mesma secretária, por ordens do presidente. Segue-se uma troca de *e-mails* entre a secretária e ela, com cópias para o presidente. Ignorando deliberadamente Clemência, o presidente limita-se a tranqüilizar a secretária, que se preocupava de o estar incomodando.

Pouco a pouco Clemência vai perdendo a autoconfiança, pondo em dúvida o próprio comportamento: "Que foi que eu fiz para que eles me tratem assim?" Ela, que havia sido das melhores alunas de sua escola, agora duvida de sua competência profissional. Dorme mal, vê com temor a chegada de cada manhã de segunda-feira em que tem que voltar ao trabalho. Tem enxaquecas e crises de choro quando, à noite, fala de seu dia de trabalho com o marido. Perdeu todo o entusiasmo, não tem mais vontade de sair, de ver os amigos.

As empresas são complacentes em relação aos abusos de certos indivíduos desde que isso possa gerar lucro e não dar motivo a um excesso de revolta. Em vez de permitir que as pessoas progridam, essas empresas muitas vezes não fazem mais que quebrá-las.

No filme *Assédio Sexual*, de Barry Levinson, vemos como uma empresa torna possível uma tentativa de destruição de um indivíduo por outro. A história desenrola-se em uma empresa de Seattle, especializada na fabricação de material eletrônico. Quando se dá sua fusão com uma outra firma que trabalha com programas, é preciso nomear um responsável. Meredith (que tem no papel Demi Moore) obtém essa inesperada promoção, em detrimento de Tom (representado por Michael Douglas), que tinha, no entanto, mais experiência, profissionalismo e competência para o cargo. Poderíamos pensar que ela saborearia tranqüilamente sua vitória... Nada disso: ela quer também a cabeça de seu rival, pois acima de tudo tem inveja da felicidade dos outros. Tom é um homem saudável, feliz junto a uma mulher meiga e dois filhos encantadores. Meredith, que já havia sido sua amante, não pode lhe tomar essa simples felicidade. E decide destruí-lo. Para isso, ela se serve do sexo como de uma arma. Faz-lhe propostas, que ele rejeita. Ela se vinga acusando-o de assédio sexual. A agressão sexual não passa de um modo de humilhar o outro, de tratá-lo como objeto, para finalmente destruí-lo. Se a humilhação sexual não se mostra suficiente, ela encontrará outros meios de "demolir" sua vítima.

Neste filme, revemos a luta pelo poder que caracteriza uma agressão por um perverso narcisista, e também a necessidade de tentar apropriar-se da felicidade do outro, ou, se isso não é possível, de destruí-la. Para isso utilizam-se suas falhas, e se as que ele tem não forem suficientes, criam-se outras.

Quer o ponto de partida seja um conflito de pessoas, quer nasça da má organização da empresa, cabe a esta encontrar uma solução, pois, se há um assédio, é porque ela assim o permite. Há sempre um momento do processo em que a empresa pode intervir e buscar soluções. Mas, apesar de hoje existirem os Diretores de Recursos Humanos, as empresas, salvo exceções, raramente levam em conta o fator humano, e menos ainda a dimensão psicológica das relações de trabalho.

No entanto, as conseqüências econômicas desse estado de coisas para uma empresa não deveriam ser negligenciadas. A deterioração do ambiente de trabalho tem como corolário uma diminuição importante da eficácia ou do rendimento do grupo ou da equipe de trabalho. A gestão do conflito torna-se a principal preocupação dos agressores e dos agredidos, e por vezes até das testemunhas, que deixam de se concentrar em suas tarefas. As perdas para a empresa podem, então, assumir proporções significativas, por um lado, pela diminuição da qualidade do trabalho, e por outro, pelo aumento dos custos devido às faltas.

Pode, assim, acontecer que o fenômeno se inverta: a empresa torna-se vítima dos indivíduos que a dirigem. Ela é vampirizada por predadores cuja única preocupação é manter-se em um sistema que os valoriza.

O assédio é sempre resultante de um conflito. Resta saber se esse conflito provém do caráter das pessoas nele envolvidas, ou se está inscrito na própria estrutura da empresa. Nem todos os conflitos degeneram em assédio. Para que isso aconteça, é preciso a conjunção de vários fatores: desumanização das relações

Assédio moral 103

de trabalho, onipotência da empresa, tolerância ou cumplicidade para com o indivíduo perverso.

Nos locais de trabalho, cabe aos que têm poder de decisão (os dirigentes da empresa, os executivos, os coordenadores) fazerem juntos a escolha de um "não" ao *laisser-faire*, de recusar tais formas de assédio, de velar para que, em todos os escalões, a pessoa humana seja respeitada. Os sindicatos, cujo papel é defender os assalariados, deveriam colocar entre seus objetivos uma proteção eficaz contra o assédio moral e outros atentados à pessoa do trabalhador.

Não se deve banalizar o assédio fazendo dele uma fatalidade de nossa sociedade. Ele não é conseqüência da crise econômica atual, é apenas um derivado de um laxismo organizacional.

II

A relação perversa e seus protagonistas

3

A SEDUÇÃO PERVERSA

PELOS CASOS CLÍNICOS JÁ DESCRITOS podemos compreender que uma relação de assédio se estabelece em duas fases, uma de sedução perversa, outra de violência manifesta.

A primeira fase, que o psicanalista P.-C. Racamier chamou de "descerebração"[1], pode desenrolar-se ao longo de anos. Ela se constrói progressivamente durante os primeiros tempos do relacionamento, por meio de um processo de sedução. É uma fase de preparação, durante a qual a vítima é desestabilizada e perde progressivamente a confiança em si própria.

Trata-se primeiro de seduzi-la, depois de enredá-la, para, finalmente, pô-la sob controle, retirando-lhe qualquer parcela de liberdade.

A sedução consiste em atrair irresistivelmente, mas também, em um sentido mais jurídico, em corromper e subornar. A sedução afasta da realidade, atua por surpresa, em segredo. Não ataca jamais de maneira frontal, mas sempre de forma indireta, a

---

[1] P.-C. Racamier, "Pensée perverse et décervelage", *in* "Secrets de famille et pensée perverse", *Gruppo* nº 8, Paris, Éditions Apsygée, 1992.

fim de captar o desejo do outro, de um outro que o admira, que lhe retorna uma boa imagem de si.

A sedução perversa atua utilizando os instintos protetores do outro. Esta sedução é narcísica: trata-se de buscar no outro o objeto singular de sua fascinação, a saber, a imagem ideal de si. Por uma sedução em sentido único, o perverso narcisista busca fascinar sem se deixar prender. Para J. Baudrillard[2] a sedução afasta a realidade e manipula as aparências. Ela não é energia, é da ordem dos signos e dos rituais, e de seu uso maléfico. A sedução narcísica apaga os limites, torna confuso o que é próprio e o que é do outro. Não está, no caso, entre os mecanismos da alienação – como a idealização amorosa em que, para manter a paixão, alguém recusa-se a ver os defeitos ou falhas do outro –, e sim no da incorporação com o objetivo de destruir. A presença do outro é vivida como uma ameaça, e não como um complemento.

O enredamento consiste em, sem argumentar, levar alguém a pensar, decidir ou conduzir-se de maneira diferente do que teria feito espontaneamente. A pessoa que é alvo dessa influência não consente *a priori* livremente. O processo de influência é pensado em função de sua sensibilidade e seus pontos fracos, e se dá essencialmente pela sedução e pela manipulação. Como em toda manipulação, a primeira etapa consiste em fazer crer ao interlocutor que ele é livre, mesmo quando se trata de uma ação insidiosa que priva de liberdade quem a ela está submetido. Não se trata de argumentar-se de igual para igual, mas de impor, impedindo o outro de tomar consciência do processo, impedindo-o de discutir ou de resistir.

Retira-se da vítima sua capacidade de defesa, retira-se dela todo o senso crítico, eliminando assim qualquer possibilidade de rebelião. Incluem-se no caso todas as situações em que um indivíduo exerce uma influência exagerada e abusiva sobre outro, à sua revelia. Na vida cotidiana, somos incessantemente manipulados, desestabilizados, confundidos. Cada vez que isso aconte-

---

[2] J. Baudrillard, *De la séduction*, Paris, Denoël, 1979.

Assédio moral 109

ce, ficamos furiosos contra aquele que nos envolveu em uma fraude, mas temos sobretudo vergonha de nós mesmos. Não se trata, no caso, de um "roubo" material, e sim de "roubo" moral.

O enredamento consiste na influência intelectual ou moral que se estabelece em uma relação de dominação. O poder leva o outro a segui-lo por dependência, isto é, por aquiescência e adesão. Isso inclui eventualmente ameaças veladas ou intimidações, visando enfraquecer para melhor fazer passar as próprias idéias. Fazer aceitar qualquer coisa por pressão é confessar que não se reconhece no outro seu igual. O domínio pode chegar à captura do espírito do outro, como em uma verdadeira lavagem cerebral. Na classificação das doenças mentais, entre os acontecimentos suscetíveis de acarretar fenômenos de dissociação da personalidade, faz-se menção a pessoas que foram submetidas a manobras prolongadas de persuasão coercitiva, tais como a lavagem cerebral, a retificação ideológica e a doutrinação em cativeiro.

O enredamento existe somente no campo relacional: é a dominação intelectual ou moral, a ascendência ou influência de um indivíduo sobre outro.[3] A vítima é apanhada em uma teia de aranha, mantida à disposição, atada psicologicamente, anestesiada. E sem consciência de ter sofrido tamanha invasão.

Há três dimensões principais nesse enredamento:

– uma ação de apropriação, em que o outro se despossui;

– uma ação de dominação, em que o outro é mantido em um estado de submissão e dependência;

– uma dimensão de impressão, pois se quer imprimir no outro uma marca.

Como neutraliza o desejo do outro e faz abolir toda a sua especificidade, o enredamento comporta um inegável componente destrutivo. Pouco a pouco a vítima vê ceifadas sua resistência e suas possibilidades de oposição. Perde toda possibilidade de crítica. Impedida de reagir, literalmente "estupefata", ela

---

[3] R. Dorey, "La relation d'emprise", *Nouvelle Revue de Psychanalyse*, 24, Paris, Gallimard, 1981.

se torna cúmplice daquele que a oprime, o que não constitui de modo algum um consentimento: ela está "coisificada", não consegue mais ter pensamento próprio, vê-se compelida a pensar como seu agressor, não é mais um outro à parte, não é mais um *alter ego*. Ela suporta tudo passivamente, sem consentir e até mesmo sem participar.

Na estratégia perversa, não se precisa destruir de imediato o outro, apenas submetê-lo pouco a pouco e mantê-lo à disposição. O que importa é conservar o poder e controlar. As manobras são de início insignificantes, mas tornam-se cada vez mais violentas se o parceiro resiste. Porém, se este é demasiado dócil, o jogo deixa de ser excitante. É preciso que haja resistência suficiente para que o perverso tenha vontade de prosseguir com a relação, mas não excessiva, para que ele não se sinta ameaçado. É ele que tem que conduzir o jogo. O outro não passa de um objeto, que tem que ficar em seu lugar de objeto, um objeto a ser usado e não um sujeito interativo.

As vítimas descrevem, todas, uma dificuldade de concentrar-se em uma atividade quando seu perseguidor está por perto. Este apresenta a um observador externo um ar de completa inocência. Um abismo se abre entre seu aparente bem-estar e o mal-estar e o sofrimento das vítimas. Aquilo de que elas se queixam, neste estágio, é de se sentirem sufocadas, de não poderem fazer nada sozinhas. Descrevem a sensação de não ter espaço para pensar.

Elas obedecem, primeiro, para dar prazer a seu parceiro, para compensá-lo, pois ele tem um ar infeliz. Depois obedecerão por ter medo. De início, sobretudo no caso de crianças, a submissão é aceita como necessidade de reconhecimento, e parece preferível ao abandono. Como um perverso dá pouco e exige muito, uma chantagem implícita, ou pelo menos uma dúvida torna-se possível: "Se eu me mostrar mais dócil, quem sabe ele poderá, enfim, me apreciar ou me amar." Busca sem fim, pois o outro não estará jamais satisfeito. Pelo contrário, essa busca de amor e de reconhecimento desencadeia o ódio e o sadismo do perverso narcisista.

Assédio moral

O paradoxo da situação é que os perversos estabelecem um controle tanto mais forte quanto mais eles próprios lutam contra o medo do poder do outro – medo quase delirante quando sentem o outro como superior.

A fase de enredamento é um período em que a vítima fica relativamente tranqüila, se for dócil, isto é, se ela se deixar prender na teia de aranha da dependência. O que já é o primeiro passo de uma violência insidiosa, que poderá se transformar progressivamente em violência objetiva. Durante o enredamento, nenhuma modificação é possível, a situação fica congelada. O medo que cada um dos protagonistas tem do outro tende a fazer com que essa incômoda situação perdure, porque:

– o perverso está bloqueado, ou por uma lealdade interna ligada a sua própria história, que o impede de passar diretamente ao ato, ou por seu medo do outro;

– a vítima está bloqueada pelo controle desenvolvido e o medo que dele resulta, e pela recusa em ver que ela é rejeitada.

Durante essa fase, o agressor mantém no outro uma tensão que equivale a um estado de estresse permanente.

A enredamento em geral não é visível a observadores externos. Mesmo diante de certas evidências, eles ficam cegos. As alusões desestabilizantes não se mostram como tais para quem não conhece o contexto e os subentendidos. É por ocasião desse estágio que se põe em ação um processo de isolamento. A posição defensiva a que é acuada a vítima a leva a comportamentos que irritam os que estão em volta. Ela se torna rabugenta, ou lamurienta, ou obsessiva. Ou seja, ela perde de alguma forma a espontaneidade. Os que a rodeiam não compreendem e são levados a um juízo negativo a seu respeito.

O processo toma de empréstimo um modo particular de comunicação, feito de atitudes paradoxais, mentiras, sarcasmo, ironia e menosprezo.

4

A COMUNICAÇÃO PERVERSA

O ENREDAMENTO E O CONTROLE SE ESTABE-LECEM com a utilização de procedimentos que dão a ilusão da comunicação – uma comunicação específica, que não é feita para criar ligações e sim para afastar e impedir o intercâmbio. Essa distorção na comunicação tem por finalidade poder usar o outro. Para que ele continue não compreendendo nada do processo em curso e fique ainda mais confuso, é preciso que ele seja verbalmente manipulado. O blecaute sobre as informações reais é essencial para reduzir a vítima à impotência.

Mesmo oculta, não-verbal, abafada, a violência transpira através dos não-ditos, dos subentendidos, das reticências, e exatamente por isso é um vetor de angústia.

Recusar a comunicação direta

Não há nunca uma comunicação direta porque "não se discute com coisas".

Quando uma questão direta é colocada, os perversos elu-

Assédio moral   **113**

dem-na. E como eles não falam, empresta-se-lhes grandeza ou sabedoria. Entra-se em um mundo no qual há pouca comunicação verbal, apenas observações em pequenos toques desestabilizantes. Nada é nomeado, tudo é subentendido. Basta um alçar de ombros, um suspiro. A vítima tenta compreender: "Que é que ele tem contra mim?" Como nada é dito, tudo pode ser objeto de reprovação.

A negação da censura ou do conflito por parte do agressor paralisa a vítima, que não pode se defender. A agressão é perpetrada pela recusa em dar nome ao que sucede, em discutir, em encontrar soluções juntos. Se se tratasse de um conflito aberto, a discussão seria possível e uma solução poderia ser encontrada. Mas na mecânica da comunicação perversa é preciso, antes de tudo, impedir o outro de pensar, de compreender, de reagir. Subtrair-se ao diálogo é uma maneira hábil de agravar o conflito, imputando-o, porém, ao outro. O direito de ser ouvido é recusado à vítima. Sua versão dos fatos não interessa ao perverso, que se recusa a ouvi-la.

A recusa ao diálogo é um modo de dizer, sem expressá-lo diretamente em palavras, que o outro não lhe interessa, ou até que não existe para ele. Com qualquer outro interlocutor, quando não se compreende, pode-se fazer perguntas. Com o perverso, o discurso é tortuoso, sem explicação, e conduz a uma alienação recíproca. O máximo a que se consegue chegar é à interpretação.

Diante da recusa à comunicação verbal direta, não é raro que a vítima recorra à correspondência. Ela escreve cartas pedindo explicações a respeito da rejeição que percebe; depois, não obtendo resposta, escreve de novo, procurando o que, em seu comportamento, poderia justificar tal atitude. Pode até terminar pedindo desculpas por algo que tenha por acaso feito, conscientemente ou não, para justificar a atitude de seu agressor.

Essas cartas, deixadas sem resposta, são por vezes utilizadas pelo agressor contra seu alvo. É assim que, por exemplo, após uma cena violenta em que a vítima havia reclamado da infidelidade e das mentiras de seu marido, sua carta de desculpas foi encon-

114   *A comunicação perversa*

trada no registro de ocorrências de uma delegacia, por violência
conjugal: "Vejam, ela própria reconhece sua violência!"

Em certas empresas, as vítimas que, para proteger-se,
enviam cartas registradas, são qualificadas de paranóicas que gostam de abrir processos judiciais.

Quando há resposta, ela é sempre evasiva, indiferente. Uma
carta, carregada de afetividade e emoção, de uma mulher a seu
marido: "Diga o que há em mim de tão insuportável para que
você me odeie a esse ponto, para que não tenha na boca senão
desprezo, insultos, vomitando injúrias? Por que você só fala
comigo em termos de reclamação, de evidências inquestioná-
veis, sem abertura, monologando?...", pode receber uma resposta aparentemente sensata, mas totalmente sem afeto: "Eu expli-
co. Não existem fatos. Tudo é uma questão de pontos de vista.
Não há referências nem verdades evidentes..."

A não-comunicação pode ser encontrada em todos os níveis
de expressão. Diante da pessoa visada, o agressor fica tenso, seu
corpo enrijece, seu olhar se desvia: "Meu patrão, desde que
entrei para a empresa, me olhava de um modo tal que eu me
sentia sempre mal, e eu me perguntava o que é que eu tinha feito de errado."

Deformar a linguagem

Encontramos nos perversos, quando se comunicam com
sua vítima, uma voz fria, neutra, desagradável, monocórdia. É
uma voz sem tonalidade afetiva, que gela, inquieta, deixando
aflorar nas mínimas frases certo menosprezo ou ironia. Só essa
tonalidade já implica, mesmo para observadores neutros, subentendidos, censuras não verbalizadas, ameaças veladas.

Aquele que já foi alvo de um perverso reconhece de imediato esta tonalidade glacial, que o põe de sobreaviso e desencadeia seu medo. As palavras não têm a menor importância, o que
importa é apenas a ameaça. As crianças que são vítimas de um

Assédio moral 115

pai moralmente perverso descrevem muito bem a mudança de tom que precede uma agressão: "Às vezes, na hora do jantar, depois de ter falado carinhosamente com minhas irmãs, sua voz ficava seca e brusca. Eu sabia imediatamente que ele iria falar comigo para dizer alguma coisa que ofendesse."

Mesmo durante as falas violentas o tom não se altera, deixando o outro enervar-se sozinho, o que só pode levá-lo a desestabilizar-se: "Decididamente, você não passa de um(a) histérico(a) que grita o tempo todo!"

Freqüentemente o perverso não faz qualquer esforço de articulação, ou apenas engrola qualquer coisa quando o outro está em outro aposento. O que faz com que o outro tenha que se deslocar para ouvir, ou tenha que pedir que repita o que disse. É assim fácil comentar que ele não ouve o que se diz.

A mensagem de um perverso é deliberadamente vaga e imprecisa, acarretando confusão. Ele pode dizer: "Eu nunca disse isto!", e evitar qualquer reclamação. Usando alusões, ele faz passar mensagens sem se comprometer.

Ao proferir frases sem articulação lógica, ele possibilita a existência de diversos discursos contraditórios.

Pode também não concluir as frases, deixando reticências que dão lugar a todas as interpretações e a todos os mal-entendidos. Ou então enviar mensagens obscuras e recusar-se a explicá-las. Uma sogra pede a seu genro um favor de menor importância e este retruca:

"Ah, não. Impossível!"

"Por quê?"

"A senhora devia saber!"

"Não, eu não compreendo!"

"Tudo bem, então pense!"

Estas frases são agressivas, mas ditas em um tom *normal*, calmo, quase relaxado, e o outro, cuja resposta agressiva é desarmada, tem a impressão de reagir "passando ao largo". Diante de tais insinuações, é lógico que se busque o que se disse ou se fez de mal, ou que alguém se culpe, a menos que decida zangar-se e entrar em conflito aberto. Essa estratégia raramente resulta em fracasso, pois em geral não se escapa da culpa, a não ser que a própria pessoa seja também perversa.

As alusões desequilibradoras não são ostensivas. Uma mãe diz a sua filha que tenta inutilmente ter um bebê: "Escuta, eu me ocupo de meus filhos como eu quero, ocupe-se dos seus como você quiser!" – um simples lapso, poderia alguém pensar, se a essa observação se seguisse um embaraço, um pedido de desculpas ou de perdão. Mas trata-se de uma pequena pedra jogada, entre muitas outras, mais uma vez sem demonstrar qualquer sentimento.

Um outro procedimento verbal habitual nos perversos é o de utilizar uma linguagem técnica, abstrata, dogmática, para levar o outro a considerações que ele não compreende, e para as quais não ousa pedir explicações, por medo de passar por imbecil.

Esse discurso frio, puramente teórico, visa impedir aquele que ouve de pensar e sobretudo de reagir. O perverso, ao falar em um tom doutoral, dá a impressão de saber, mesmo não importando o que fale. Ele impressiona sua audiência com uma erudição superficial, utilizando palavras técnicas sem se preocupar sequer com seu sentido. O outro mais tarde dirá: "Ele me baratinou, não compreendo por que não reagi!"

O que importa no discurso do perverso é muito mais a forma que o conteúdo, é parecer sábio para embaralhar de propósito o assunto. Respondendo a uma mulher que quer conversar a respeito do casal, seu marido lhe diz, em tom doutoral: "Você apresenta uma problemática típica das mulheres castradoras que projetam nos homens seu desejo do falo!"

Essas grosseiras interpretações psicanalíticas conseguem desorientar o outro, que raramente fica em condições de replicar para reverter a situação a seu favor. As vítimas muitas vezes dizem que os argumentos de seu agressor são tão incoerentes que deveriam fazê-las rir, mas de tamanha má-fé que acabam por lhes dar raiva.

Um outro procedimento perverso consiste em nomear as intenções do outro, ou adivinhar seus pensamentos ocultos, como se soubesse melhor do que ele próprio o que ele está pen-

Assédio moral   **117**

sando: "Eu sei muito bem que você detesta a família de Fulano e que está procurando um meio de não se encontrar com eles!"

Mentir

Muito mais que a mensagem direta, o perverso utiliza de preferência uma junção de subentendidos e de não-ditos, destinada a criar um mal-entendido, para em seguida explorá-lo em proveito próprio.

Em seu tratado *A arte da guerra*, escrito por volta do século V a.C., o chinês Sun Tsé ensina: "A arte da guerra é a arte de enganar, e, mantendo sempre uma aparência contrária ao que se é realmente, aumentam-se as chances de vitória."[4]

As mensagens incompletas, paradoxais, representam medo da reação do outro. Falar sem dizer, esperando que o outro tenha compreendido a mensagem sem que as coisas precisem ser nomeadas. Essas mensagens, na maior parte das vezes, só podem ser decodificadas *a posteriori*.

Falar sem dizer é uma maneira habilidosa de enfrentar toda e qualquer situação.

Essas mensagens indiretas são sem importância, gerais, ou indiretamente agressivas: "As mulheres são temíveis!" "As mulheres que trabalham não fazem grande coisa em sua própria casa!" "Eu não estou falando de você. Como você é hipersensível, nossa!"

O importante é ficar "por cima" em uma troca verbal. Um procedimento muito direto levaria o parceiro a denunciar o autoritarismo do agressor. Técnicas indiretas, pelo contrário, o desestabilizam e levam-no a duvidar da realidade do que acontece.

Um outro tipo de mensagem indireta consiste em responder de maneira imprecisa, evasiva, ou com um ataque que des-

---

[4] Sun Tsé, *A Arte da Guerra*, Editora Record.

via a questão. A uma mulher que expressava suas dúvidas a respeito da fidelidade do marido: "Para dizer uma coisas dessas é preciso que você mesma tenha também o rabo preso!"

A mentira pode igualmente prender-se a detalhes. A uma mulher que reclama por ele ter ficado oito dias no campo com uma garota, o marido responde: "Você é uma grande mentirosa, porque não foram oito dias e sim nove, e não se tratava de uma garota e sim de uma mulher!"

Não importa o que se diga, os perversos encontram sempre um meio de ter razão, ainda mais quando a vítima já está desestabilizada e, ao contrário de seu agressor, não sente o menor prazer em criar polêmicas. A perturbação a que a vítima é induzida é uma conseqüência da confusão permanente entre a verdade e a mentira.

A mentira nos perversos narcisistas só se torna direta por ocasião da fase de destruição, como veremos no capítulo seguinte. É então uma mentira que despreza toda evidência. É principalmente, e acima de tudo, uma mentira convicta, e que convence o outro. Por maior que seja a enormidade da mentira, o perverso a ela se aferra e acaba convencendo o outro.

Verdade ou mentira, isto importa pouco aos perversos: verdadeiro é aquilo que eles dizem no momento. Essas falsificações da verdade são, por vezes, semelhantes a uma construção delirante. Toda mensagem que não é formulada explicitamente, mesmo sendo transparente, não vem a ser levada em conta pelo interlocutor. Como não há vestígio objetivo, ela não existe. A mentira corresponde simplesmente a uma necessidade de ignorar o que vai de encontro a seu interesse narcísico.

É assim que vemos o perverso cercar sua história de grande mistério, o que induz o outro a nele crer sem que nada tenha sido dito: *ocultar para mostrar sem dizer.*

Assédio moral 119

Manejar o sarcasmo, a derrisão, o desprezo

Com relação ao mundo exterior, o que domina é o desprezo, a derrisão. O desprezo envolve o parceiro odiado, o que ele pensa, o que ele faz, e também tudo que o cerca. O desprezo é uma arma do fraco, uma proteção contra sentimentos indesejáveis: ocultar-se por trás de uma máscara de ironia ou de galhofa.

Esse desprezo e essa derrisão têm por alvo preferencial as mulheres. No caso dos perversos sexuais, há uma negação do sexo da mulher. Os perversos narcisistas, por sua vez, negam a mulher por inteiro, como indivíduo. Têm prazer em todas as brincadeiras que fazem da mulher objeto de zombaria, o que pode ser estimulado pela complacência dos que assistem:

Em um *talk-show* no canal americano NBC, um jovem casal teria que debater em público o seguinte problema: "Ele não me suporta porque eu não sou uma *top model*." O jovem começou explicando que sua namorada – a mãe de seu filho – não era como ele gostaria – magra, *sexy* –, que seus dentes e seus seios eram imperfeitos, e que ela não era uma mulher desejável. Seu modelo de referência era Cindy Crawford. Demonstrou tamanho menosprezo que sua mulher começou a chorar, mas nem assim ele teve a menor emoção, ou um movimento sequer em direção a ela.

Os espectadores deveriam emitir sua opinião. Evidentemente, as mulheres presentes protestaram contra a atitude dele, algumas chegaram a dar conselhos à jovem, no sentido de cuidar mais de seu físico; mas a maioria dos homens mostrou-se conivente, chegando até a acrescentar alguns comentários de passagem sobre o físico da pobre moça.

A psicóloga do programa explicou ao público que bastava olhar para Sherry para ver que ela jamais se parecera com Cindy Crawford, e, no entanto, Bob a amara o bastante para desejar ter um filho com ela. Ninguém fez qualquer observação a respeito da conivência dos espectadores e dos organizadores, nem sobre a humilhação sofrida por aquela mulher.

A derrisão consiste em zombar de tudo e de todos. Quando essa atitude é permanente, não desperta maior desconfiança – julgam-na uma simples maneira de ser... – mas cria-se uma atmosfera desagradável e a comunicação passa a ser feita de um modo que nunca é sincero.

As maldades (verdades que fazem mal) ou as calúnias (mentiras) nascem muitas vezes da inveja. É assim que:

– uma garota bonita que sai com um homem mais velho é uma puta;

– uma mulher exigente vira uma mal-amada;

– uma apresentadora de televisão famosa forçosamente dormiu com todo mundo para chegar a este posto;

– uma colega de trabalho bem-sucedida deve ter "passado por alguma cama".

Na realidade são as mulheres, através de seu sexo, as mais visadas por esses ataques.

Aquele que utiliza a derrisão coloca-se na posição de quem, supostamente, sabe das coisas. Tem por isso o direito de zombar de qualquer um ou de qualquer coisa, e faz de seu interlocutor um aliado.

O procedimento pode ser assim descrito: "Ora veja, você não sabia que...!", ou indiretamente: "Você viu como ele(a) estava...?"

Não é raro que a vítima tome ao pé da letra as críticas dos perversos relativas aos que a cercam e acabe acreditando que são justificadas.

O sarcasmo e as observações ferinas são aceitos como o preço a ser pago para manter uma relação com um parceiro sedutor, embora difícil.

Para manter a cabeça fora d'água o perverso tem necessidade de afundar a do outro. Para isso ele procede por meio de pequenos toques desestabilizadores, de preferência em público, a partir de uma coisa anódina, por vezes íntima, descrita com exagero e tomando por vezes um aliado no grupo.

O que importa é conseguir embaraçar o outro. Percebe-se a hostilidade, mas não se tem certeza de que não se trata de uma

Assédio moral 121

brincadeira. O perverso dá a impressão de estar se divertindo em contrariar o outro, e na realidade está atacando seus pontos fracos: um "nariz grande", "seios achatados", dificuldade de expressar-se...

A agressão se dá sem ruído, apenas por alusões, por subentendidos, sem que se possa dizer em que momento ela teve início, ou até se ela realmente existe. O atacante não se compromete, muitas vezes até reverte a situação, assinalando os desejos agressivos de sua vítima: "Se você acha que eu estou lhe agredindo é porque você mesmo é que é agressivo!"

Como vimos nos casos clínicos, um dos procedimentos perversos habituais é ridicularizar o outro com um apelido que cause riso, e que parta de um defeito ou uma dificuldade: *a gorda, o veado, uma grandissíssima lesma, o paspalhão...* Estes apelidos, mesmo sendo ofensivos, são muitas vezes aceitos pelos que estão em torno, que riem deles e se tornam cúmplices. Todos os comentários desagradáveis causam mágoas que não são compensadas por demonstrações de gentileza. E a própria mágoa que deles resulta é reapropriada pelo parceiro, que a transforma em objeto de zombaria.

Nessas agressões verbais, nessas zombarias, nesse cinismo, há também um certo jogo: é o prazer da polêmica, o prazer de levar o outro a opor-se. O perverso narcisista, como já dissemos, gosta da controvérsia. Ele é capaz de sustentar um ponto de vista num dia e de defender as idéias opostas no dia seguinte, só para fazer a discussão explodir, ou, deliberadamente, para chocar. Se o parceiro não reage à altura, ele começa a aumentar cada vez mais a provocação. O parceiro vítima dessa violência não reage, não só porque tem tendência a desculpar o outro, como porque a violência se instala de maneira insidiosa. Uma atitude tão violenta, se irrompesse subitamente, não deixaria de provocar cólera, mas sua implantação gradativa vai desarmando toda reação. A vítima só se dá conta da agressividade da mensagem quando ela já se tornou quase um hábito.

O discurso do perverso narcisista encontra ouvintes que ele consegue seduzir e que se mostram insensíveis à humilhação sofrida pela vítima. Não é raro um agressor pedir, olhando em volta, que participem, com maior ou menor boa vontade, de sua tarefa de demolição.

Em suma, para desestabilizar o outro, basta:

— zombar de suas convicções, de suas escolhas políticas, de seus gostos;

— não lhe dirigir mais a palavra;

— ridicularizá-lo publicamente;

— denegri-lo diante dos outros;

— privá-lo de toda possibilidade de expressar-se;

— debochar de seus pontos fracos;

— fazer alusões desabonadoras a seu respeito, sem nunca explicitá-las;

— pôr em dúvida sua capacidade de avaliação e de decisão.

Usar o paradoxo

Sun Tsé ensina igualmente que, para ganhar uma guerra, é preciso dividir o exército inimigo antes mesmo de começar a batalha: "Sem chegar ainda à luta, tente ser vitorioso. (...) Como os antigos que, antes de entrar em combate, tentavam enfraquecer a confiança do inimigo humilhando-o, mortificando-o, submetendo suas forças a rudes provas. (...) Corrompam tudo o que nele houver de melhor, por meio de oferendas, de presentes, de promessas; alterando a confiança em seus melhores guerreiros, levando-os a ações vergonhosas e vis. E não esquecendo de divulgá-las."

Em uma agressão perversa, assiste-se a uma tentativa de abalar a autoconfiança do outro, de fazê-lo duvidar dos próprios pensamentos, dos próprios afetos. A vítima perde com isso a noção de sua identidade. Não consegue pensar, compreender. O objetivo é negá-la, paralisando-a, de modo a evitar a emergência de um conflito. Pode-se atacá-la sem perdê-la. Ela permanece à disposição.

Isto se obtém com uma dupla pressão: alguma coisa é dita em nível verbal e seu contrário é expresso em nível não-verbal.

Assédio moral **123**

O discurso paradoxal é composto de uma mensagem explícita e de um subentendido, que o agressor nega existir. É um meio eficaz de desestabilizar o outro.

Uma forma de mensagem paradoxal consiste em semear a dúvida sobre fatos mais ou menos insignificantes da vida cotidiana. O parceiro acaba ficando abalado e não sabe mais quem está errado e quem tem razão. Basta dizer, por exemplo, que se está de acordo com uma frase do outro, demonstrando, por mímica, que este acordo é apenas aparente.

Alguma coisa dita é imediatamente desqualificada, mas um resíduo permanece, em forma de dúvida: "Será que ele quis dizer isto, ou fui eu que interpretei errado?" Se a vítima tentar nomear suas dúvidas, vê-se tratada como uma paranóica que interpreta tudo às avessas.

O paradoxo surge, na maior parte das vezes, do desacordo entre as palavras que são ditas e o tom em que essas palavras são proferidas. Desacordo que leva as testemunhas a se equivocarem totalmente sobre a natureza do diálogo.

O paradoxo consiste, igualmente, em fazer o outro sentir a tensão e a hostilidade, sem que nada seja expresso neste sentido. São as agressões indiretas, em que o perverso se serve de objetos: ele pode bater portas, jogar coisas, e depois negar a agressão.

Um discurso paradoxal deixa o outro perplexo. Não estando muito seguro do que sente, a tendência é caricaturar sua atitude ou justificar-se.

As mensagens paradoxais não são fáceis de serem percebidas. Seu objetivo é desestabilizar o outro, confundindo-o, de modo a manter o controle, mergulhando-o em sentimentos contraditórios. Ele é encaminhado a uma porta errada, mas tendo-se a certeza de poder acusá-lo do erro. Como já foi dito, a finalidade de tudo isso é controlar os sentimentos e os comportamentos do outro, ou até agir de modo que ele termine aceitando isso e ele próprio se desqualifique, no objetivo de recuperar uma posição dominante.

Na maior parte das vezes, os parceiros dos perversos, por espírito de conciliação, decidem aceitar o sentido literal de tudo que ele diz, negando os sinais não-verbais contraditórios: "Quando eu ameaço ir embora, meu marido me diz que o relacionamento do casal é muito importante para ele. Mesmo sendo ele ferino, gostando de humilhar, de alguma forma isso deve ser verdade."

À diferença de um conflito normal, não há realmente luta com um perverso narcisista, como não há igualmente reconciliação possível. Ele nunca eleva o tom, manifesta apenas uma fria hostilidade, que ele nega quando se faz qualquer observação a respeito. O outro acaba irritando-se ou gritando. É então fácil zombar de sua raiva e pô-lo em ridículo.

Mesmo nos casos de um conflito aparentemente aberto, o motivo real da discórdia nunca é verdadeiramente evocado, porque a vítima não consegue sequer localizá-lo. Ela se sente sempre posta de lado e apenas acumula rancor, pois como nomear impressões vagas, inquietações, sentimentos? Nada é concreto, nunca.

Essas técnicas de desestabilização, embora possam ser utilizadas por todo mundo, o são de maneira sistemática pelo perverso, e sem qualquer compensação ou desculpa.

Ao bloquear a comunicação por meio de mensagens paradoxais, o perverso narcisista coloca a pessoa na impossibilidade de dar respostas adequadas, por não compreender a situação. Ela se esgota buscando soluções, que serão de qualquer modo inadequadas, e, por maior que seja sua resistência, não consegue evitar a emergência da angústia ou da depressão. No casal, esse tipo de comunicação corresponde a uma coerência interna da relação, e conduz, depois de certo tempo, a uma certa estabilidade. Com a finalidade de homeostase, qualquer coisa que possa desunir é rejeitada por ambas as partes, permitindo uma estabilidade feita de sofrimento, mas, seja como for, uma estabilidade. Em outras situações a vítima não tem outra escolha a não ser agüentar.

A comunicação perversa é muitas vezes composta de mensagens sutis, que não são imediatamente percebidas como sendo agressivas ou destrutivas porque outras mensagens, emitidas simultaneamente, com elas se confundem. Com freqüência, elas

Assédio moral 125

só poderão ser decodificadas quando o destinatário tiver conseguido sair do enredamento e do controle.

Foi só quando ela os reencontrou na idade adulta que se deu conta da ambigüidade dos cartões-postais que seu padrasto lhe enviava quando ela era adolescente. Representavam mulheres nuas em uma praia. Na época, ela via nisso um sinal de atenção, embora lhe causasse certa raiva. Essa tomada de consciência permitiu-lhe decifrar outras mensagens que ela não havia então compreendido, mas que a tinham deixado pouco à vontade, como os olhares pousados em seus seios ou brincadeiras licenciosas.

Essa ilustração da noção de incestualidade, definida por Racamier, mostra a que ponto é tênue o limite entre perversão moral e perversão sexual. Nos dois casos, utiliza-se o outro como objeto. Essa sucessão de desmentidos desvaloriza e desqualifica um indivíduo, mas difunde-se igualmente por todos que o cercam, que não sabem mais quem fez o quê, ou quem disse o quê. Além da pessoa visada, que se busca paralisar para reduzir ao silêncio, é toda a família, ou o ambiente profissional e relacional que se vê mergulhado em um estado de grande confusão.

Outro ponto comum: um deslocamento da culpa. Por um fenômeno de transferência, a culpa é carregada inteiramente pela vítima. Há uma introjeção da culpa na vítima: "É tudo culpa minha!" e, para o perverso narcisista, uma projeção para o exterior, jogando a culpa no outro: "A culpa é sua!"

Desqualificar

Significa esvaziar de alguém todas as qualidades, dizer-lhe e repetir-lhe que ele não vale nada, até que ele próprio acabe achando o mesmo.

Como já vimos, inicialmente isso se dá de forma subjacente e através da comunicação não-verbal: olhares de desprezo.

suspiros seguidos, subentendidos, alusões desestabilizantes ou malévolas, comentários desabonadores, críticas indiretas dissimuladas em brincadeiras, censuras.

Pelo fato de as agressões serem indiretas, é difícil considerá-las claramente como tais e, portanto, defender-se delas. Por menos que as palavras venham fazer eco a uma fragilidade identitária, a uma falta de confiança já existente, ou que sejam dirigidas a uma criança, elas são incorporadas pela vítima, que as aceita como verdade: "Você não presta pra nada", "Você é tão imprestável que ninguém, a não ser eu, te agüenta; sem mim, você ficaria completamente só!" O perverso empurra o outro, impõe-lhe sua visão falseada da realidade.

A partir desta frase – "Você é uma nulidade" – expressa diretamente ou subentendida, a vítima integra esse dado: "Eu sou nulo" e vai-se anulando realmente. A frase não é criticada como tal. Alguém torna-se nulo porque o outro decretou que ele o era.

A desqualificação, usando o paradoxo, a mentira e outros procedimentos, estende-se da vítima visada a todo o seu meio, seus amigos, seus conhecidos: "Ele(a) só se relaciona com idiotas!"

Todas essas estratégias são destinadas a rebaixar o outro para melhor se enaltecer.

Dividir para melhor dominar

Sun Tsé diz também: "Perturbem o governo adversário, semeiem a dissensão entre os chefes, excitando o ciúme ou a desconfiança, provoquem a indisciplina, forneçam causas de descontentamento. A divisão fatal é aquela pela qual tentamos, por meio de ruídos tendenciosos, lançar o descrédito ou a suspeita, até na corte do Soberano inimigo, sobre os generais que o servem."

O perverso narcisista domina na arte de lançar as pessoas umas contra as outras, provocar rivalidades, ciúmes. Isso pode ser feito por meio de alusões, insinuando a dúvida: "Você não

Assédio moral 127

acha que a família do Fulano é isto ou aquilo?", ou então revelando o que um disse a respeito do outro: "Seu irmão me disse que achava que você estava se conduzindo mal", ou por meio de mentiras, colocando as pessoas umas contra as outras.

O supremo prazer de um perverso é levar um indivíduo a aniquilar outro e assistir a essa luta, da qual ambos sairão fragilizados, reforçando assim sua própria onipotência.

Em uma empresa, isso se traduz em maledicências, subentendidos, privilégios concedidos a um empregado em detrimento de outro, variação nas preferências etc. Ou então em fazer difundir boatos que, de forma impalpável, virão ferir a vítima sem que ela possa saber de onde surgiram.

No casal, cultivar a dúvida por meio de alusões, de não-ditos, é uma maneira hábil de atormentar e de manter a dependência do parceiro, cultivando seu ciúme. Este mantém a dúvida, que, ao contrário da inveja, desencadeia motivações muito bem conhecidas.

Levar o outro a ter ciúmes constituiu a trama da peça de Shakespeare, *Otelo*. Nesta peça, Otelo não é, por natureza, ciumento. É descrito como nobre e generoso, pouco disposto a crer na existência do mal nos outros. Não é vingativo, nem violento. É devido às hábeis maquinações de Iago que ele se tornará ciumento. O infeliz recusar-se-á de início a crer que sua mulher lhe é infiel, tal a confiança que tem nela, idêntica à confiança que tem no próprio Iago. Iago declara, em um monólogo, que gosta de fazer o mal por amor ao mal. Depois deixa escapar a confissão de que a virtude e a nobreza, a "beleza cotidiana" de uma pessoa honesta como Caio e a pureza de Desdêmona o chocam e o excitam a destruir esta virtude e esta beleza. Há nele uma volúpia da baixeza, o desejo de urdir tramas maquiavélicas que sua inteligência tornará bem-sucedidas.

Provocar o ciúme no outro é também, para o perverso, um modo de manter-se fora do campo da cólera ou do ódio. É algo que se passa entre o parceiro e seu rival. Ele, o perverso, apenas conta os pontos. Não suja suas mãos. Levando o outro a sentir ciúmes, o perverso, que no fundo não passa de um invejoso, o traz para o mesmo plano que ele: "Eu e você, nós somos iguais!"

Como vimos, a vítima não ousa agredir diretamente seu parceiro perverso. Entrar no campo do ciúme é uma maneira, para ela, de continuar a protegê-lo, evitando afrontá-lo. É mais fácil enfrentar um terceiro, que o perverso utiliza como presa.

Impor o próprio poder

Estamos aqui na lógica do abuso de poder, em que o mais forte submete o outro. A tomada do poder se dá pela palavra. Dar a impressão de saber mais, de ser dono de uma verdade, "a" verdade. O discurso do perverso é um discurso totalizante, que se enuncia em sentenças que parecem universalmente válidas. O perverso "sabe", ele tem razão, e tenta arrastar o outro para o seu terreno, levando-o a aceitar seu discurso. Por exemplo, em vez de dizer-lhe "Eu não gosto do Fulano!", ele diz: "Fulano é um imbecil. Todo mundo sabe disso, e você, você não é capaz de ver isto!"

A seguir se estabelece uma generalização que consiste em fazer desse discurso uma premissa universal. E o interlocutor diz consigo mesmo: "Ele deve ter razão ele parece saber do que fala!" Com isso os perversos narcisistas atraem os parceiros que não estão muito seguros de si, que tendem a crer que os outros sabem mais. Os perversos são inteiramente reasseguradores para parceiros mais frágeis.

Esse discurso auto-suficiente, em que tudo é lançado de antemão, não está longe do processo que tem lugar no delírio interpretativo paranóico. Um paranóico tem que encontrar em todo mundo um lado negativo, mesmo quando os motivos de sua depreciação são absolutamente aleatórios, ligados por vezes a uma possibilidade que o outro lhe oferece, mas, na maior parte das vezes, ao acaso de circunstâncias externas.

Um processo de dominação se instaura: a vítima se submete, é subjugada, controlada, deformada. Se ela se rebela, sua

Assédio moral 129

agressividade e malignidade serão ressaltadas. De qualquer forma põe-se em ação um funcionamento totalitário, alicerçado no medo, e que visa obter uma obediência passiva: o outro tem que agir como o perverso deseja, tem que pensar segundo suas normas. Não lhe é permitido o menor espírito crítico. O outro só tem existência na medida em que se mantém na posição de duplo que lhe é designada. Trata-se de anular, negar toda e qualquer diferença.

O agressor estabelece essa relação de domínio em proveito próprio, e em detrimento dos interesses do outro. A relação com o outro se estabelece pelo mecanismo da dependência; dependência que é atribuída à vítima, mas que é nela projetada pelo perverso. Cada vez que o perverso narcisista expressa conscientemente a necessidade de dependência, ele o faz de modo a que não se possa satisfazê-lo: ou porque sua requisição ultrapassa a capacidade do outro – e o perverso se aproveita disso para ressaltar sua impotência – ou porque sua requisição é feita em um momento em que seja impossível dar-lhe resposta.

Ele solicita a rejeição, pois isso lhe reafirma que a vida é para ele exatamente como ele sempre soube que era.

A violência perversa deve ser distinguida do abuso de poder direto ou da tirania. A tirania é uma maneira de obter o poder pela força. A opressão nela é visível: um se submete porque o outro tem, visivelmente, o poder. No abuso de poder direto, o objetivo é simplesmente dominar.

Um exemplo de abuso de poder direto nos é dado por Einstein que, exasperado pela presença de sua primeira mulher Milena Maric, mãe de seus dois filhos, e não desejando tomar a iniciativa de uma ruptura, estabelece, por escrito, condições draconianas e humilhantes para o prosseguimento de uma vida em comum (*Le Monde*, 18 de novembro de 1996):

"A. Você terá que cuidar para que:

1) minha roupa pessoal e a da casa sejam mantidas em ordem;

2) três refeições ao dia me sejam servidas em meu escritório;

3) meu quarto e meu escritório estejam sempre bem cuida-

130 — *A comunicação perversa*

dos e minha mesa de trabalho não seja mexida por ninguém a não ser eu.

B. Você deve renunciar a qualquer relação pessoal comigo, exceto as necessárias às aparências sociais. E particularmente não poderá exigir:

1) que eu me sente com você em casa;

2) que eu saia para viajar em sua companhia.

C. Você prometerá observar expressamente os seguintes itens:

1) não esperar de mim a menor afeição e não me censurar por isso;

2) responder de imediato assim que eu lhe dirigir a palavra,

3) sair do meu quarto ou do meu escritório imediatamente e sem protestar assim que eu mandar;

4) prometer não me depreciar aos olhos de meus filhos, nem por palavras, nem por atos."

Aqui o abuso de poder é evidente, chega a estar registrado por escrito. Já no caso de um perverso, a dominação é sub-reptícia e negada. A submissão do outro não basta, é preciso apropriar-se de seu próprio ser.

A violência perversa se estabelece através de estratagemas, por vezes até sob uma máscara de ternura ou bem-querer. O parceiro não tem consciência de estar havendo violência, pode até, não raro, ter a impressão de que é ele quem conduz o jogo. Nunca há conflito aberto. Se essa violência tem condições de se exercer de forma subterrânea, é porque se dá a partir de uma verdadeira distorção da relação entre o perverso e seu parceiro.

5

A VIOLÊNCIA PERVERSA

RESISTIR AO DOMÍNIO É EXPOR-SE AO ÓDIO. NESTE ESTÁGIO, o outro, que só existia como um objeto útil, torna-se um objeto perigoso, do qual é preciso livrar-se não importa por que meios. A estratégia perversa desdobra-se abertamente.

O ódio torna-se visível

A fase do ódio aparece abertamente quando a vítima reage, tenta colocar-se como sujeito e recuperar um pouco de liberdade. Apesar do contexto ambíguo, ela tenta estabelecer um limite. Um detonador a faz exclamar: "Chega!", ou porque um elemento exterior permitiu-lhe tomar consciência de sua sujeição – em geral, por ter visto o perverso perseguir ferozmente alguém –, ou porque o perverso encontrou um outro parceiro potencial e tenta fazer o anterior ir embora acentuando sua violência.

No momento em que a vítima dá a impressão de escapar-

132 *A violência perversa*

lhe, o agressor experimenta um sentimento de pânico e de fúria, e dá livre curso a sua fúria.

Quando a vítima expressa o que sente, é preciso fazê-la calar-se.

É uma fase de ódio em estado puro, extremamente violenta, feita de golpes sujos e de injúrias, de palavras que rebaixam, humilham, atingem com seu escárnio tudo que pertence exclusivamente ao outro. Essa armadura de sarcasmo protege o perverso do que ele mais teme – a comunicação.

Em sua preocupação de conseguir a qualquer preço um diálogo, o outro se expõe. Quanto mais ele se expõe, mais é atacado e mais sofre. O espetáculo deste sofrimento é insuportável para o perverso, que reforça suas agressões para fazer com que a vítima se cale de vez. Quando o outro revela suas fraquezas, elas são imediatamente exploradas pelo perverso contra ele.

O ódio já existia desde a fase inicial, de enredamento e controle, mas estava desviado, mascarado pelo perverso, de modo a manter a relação estacionária. Tudo aquilo que já existia de forma subterrânea aparece agora claramente. A tarefa de demolição torna-se sistemática.

Não se trata, no caso, de um amor que se transforma em ódio, como se tende a crer, mas de inveja que se transforma em ódio. Também não é aquela alternância amor-ódio que Lacan chamava de "odioenamoramento"*, pois da parte do perverso jamais existiu amor, no sentido real do termo. Pode-se mesmo, com base em Maurice Hurni e Giovanna Stoll[1], falar em ódio ao amor para descrever a relação perversa. É acima de tudo um não-amor, sob uma máscara de desejo, não pela pessoa em si, mas pelo que ela tem a mais e de que o perverso gostaria de apropriar-se. Mas é um ódio oculto, ligado à frustração de não obter do outro tanto quanto desejava. Quando o ódio se expressa abertamente é com um desejo de destruição, de aniquilamen-

---

* "Haineamoration", mescla de ódio e amor. (N. T.)

1 M. Hurni e G. Stoll, *La Haine de l'amour (La perversion du lien)*, Paris, L'Harmattan, 1996.

to do outro. Mesmo com o tempo, o perverso não renunciará a esse ódio. É uma evidência para ele: "Porque é assim!", mesmo se os motivos desse ódio se mostram incoerentes para qualquer outra pessoa.

Quando ele justifica este ódio, é por uma perseguição do outro, que o colocaria em situação de legítima defesa. Como no caso dos paranóicos, aparecem nele idéias de prejuízo ou de perseguição, uma antecipação às reações de defesa que levam a condutas delituosas e a um comportamento litigioso. Tudo que não dá certo é por culpa dos outros, que estão unidos em um projeto contra ele.

Por um fenômeno de projeção, o ódio do agressor está na medida do ódio que ele imagina que sua vítima lhe devota. Ele a vê como um monstro destruidor, violento, nefasto. Na realidade, a vítima, neste estágio, não chega a experimentar nem ódio nem raiva – o que, no entanto, lhe permitiria proteger-se. O agressor lhe atribui uma intencionalidade malévola e se antecipa agredindo-a primeiro. A vítima é, de qualquer forma, culpada, permanentemente, do delito de intenção.

Esse ódio, projetado no outro, é para o perverso narcisista um meio de se proteger de perturbações maiores que poderiam ocorrer, de ser levado à psicose. É também um meio, quando se engaja em um novo relacionamento, de defender-se de qualquer ódio inconsciente contra o novo parceiro. Focalizando seu ódio no anterior, protege-se o novo, a quem se podem atribuir todas as virtudes. Quando a vítima desse ódio toma consciência de que ela serve para reforçar o novo relacionamento, ou o(a) rival, ela não pode senão sentir-se, mais uma vez, manipulada, apanhada em uma armadilha.

O mundo do perverso narcisista está separado em bom e mau. Não faz bem ficar do lado mau. A separação ou distanciamento não vêm, de modo algum, amainar esse ódio.

Neste processo um tem medo do outro: o agressor teme a onipotência que ele atribui à sua vítima; a vítima teme a violência física, e também psíquica, de seu agressor.

A violência em ato

Trata-se de uma violência fria, verbal, feita de depreciação, de subentendidos hostis, de falta de tolerância e de injúrias. O efeito destruidor vem dessa repetição de agressões aparentemente inofensivas, mas contínuas, e que se sabe que não cessarão nunca. É uma agressão que não tem fim. Cada ofensa vem fazer eco a ofensas anteriores e impede de esquecê-las, como seria o desejo das vítimas, mas que o agressor lhes recusa.

Superficialmente, nada se vê, ou quase nada. É um cataclisma que vem implodir sobre as famílias, as instituições ou os indivíduos. A violência raramente é física e, quando o é, é conseqüência de uma reação demasiado viva da vítima. Neste sentido, trata-se de um crime perfeito.

As ameaças são sempre indiretas, veladas: arma-se tudo de modo a fazer saber, por amigos comuns, que são por sua vez manipulados, ou pelas crianças, o que vai acontecer se a vítima não fizer as vontades do parceiro. Envia-se correspondência ou dão-se telefonemas, descritos muitas vezes como armadilhas seladas ou bombas de retardo.

Se a uma violência sutil (chantagem, ameaças veladas, intimidações) se acrescentam violências reais, que podem chegar ao assassinato, é por uma derrapagem do jogo perverso, pois o perverso prefere matar indiretamente, ou melhor, levar o outro a matar-se.

Os sinais de hostilidade não aparecem nos momentos de explosão, de raiva ou de crise. Eles estão permanentemente presentes, em pequenos toques, todos os dias ou muitas vezes por semana, durante meses ou até anos. Não são expressos em tom de cólera, e sim em um tom glacial, de quem enuncia uma verdade ou uma evidência. Um perverso sabe até onde pode ir, sabe medir sua violência. Se ele sente que se reage em sua presença, ele habilmente dá marcha a ré. A agressão é destilada em pequenas doses quando há testemunhas. Se a vítima reage e cai na armadilha da provocação, elevando o tom, é ela que parece agressiva e o agressor posa de vítima. Os subentendidos fazem

Assédio moral 135

referência a dados de memória que só as vítimas estão em condições de observar. Não é raro que os juízes levados a lidar com essas situações complicadas, por exemplo, no caso de um divórcio, apesar de sua desconfiança e de suas precauções, fiquem eles próprios perturbados e sejam, com isso, manipulados.

Trata-se de algo que o Prof. Emil Coccaro, em um estudo sobre a biologia da agressividade, qualificou de agressividade predadora. Ela se dá em indivíduos que escolhem sua vítima e premeditam seu ataque mais ou menos do mesmo modo que um animal predador faz com sua presa. A agressão não é mais que o instrumento que permite ao agressor obter o que deseja.

É igualmente uma violência assimétrica. Na violência simétrica, os dois adversários aceitam o confronto e a luta. Aqui, pelo contrário, aquele que põe em ação a violência define-se como existencialmente superior ao outro, o que é em geral aceito por aquele que recebe a violência. Esse tipo de violência insidiosa foi qualificado de "violência punitiva" por Reynaldo Perrone[2]. Não há, no caso, pausas, assim como não há reconciliação, o que torna essa violência mascarada, íntima, trancada: nenhum dos atores fala dela no exterior, aquele que inflige sofrimento ao outro acha que ele o merece e que não tem o direito de se queixar. Se a vítima reage e deixa de comportar-se como um objeto dócil, ela é considerada ameaçadora ou agressiva. Aquele que era originalmente o iniciador da violência coloca-se, então, na posição de vítima. A culpa interrompe a reação defensiva da vítima. Toda reação emocional ou de sofrimento no agressor não é mais que uma escalada de violência, ou uma manobra de desvio (indiferença, falsa surpresa etc.).

O processo que se desenvolve assemelha-se a um processo recíproco de fobia: a visão da pessoa odiada provoca no perverso uma raiva fria; a visão de seu perseguidor desencadeia na vítima uma reação de medo.

Uma vez escolhida a presa, o perverso não a larga mais. E é freqüente que ele o declare abertamente: "De agora em diante,

---

[2] R. Perrone e M. Nannini, *Violence et abus sexuels dans la famille*, Paris, ESF, 1995.

meu único objetivo na vida será impedi-la de viver." E toma todas as iniciativas para que isso seja real.

O processo circular, uma vez desencadeado, não pode parar sozinho, pois os mecanismos patológicos de cada um vão-se ampliando: o perverso torna-se cada vez mais humilhador e violento, a vítima cada vez mais impotente e ferida. Mas nada permite constatar a realidade por que se passa. Quando há uma violência física, elementos externos podem testemunhá-la: exames de corpo de delito, testemunhas oculares, queixas dadas na polícia. Em uma agressão perversa, não há provas. É uma violência "limpa": nada fica visível.

O outro é acuado

Por ocasião da fase inicial, de enredamento, a ação do perverso narcisista sobre sua vítima era essencialmente no sentido de impedi-la de pensar. Na fase seguinte, ele provoca nela sentimentos, atos, reações, pelos mecanismos de injunção.

Se o outro tem defesas perversas suficientes para jogar o jogo da revanche, trava-se uma luta perversa, que só terminará com a rendição do menos perverso dos dois.

O perverso tenta levar sua vítima a agir contra ele para denunciá-la a seguir como "má". O que importa é que a vítima pareça responsável pelo que acontece. O agressor serve-se de alguma falha do outro – uma tendência depressiva, histérica ou uma falha de personalidade – para caricaturá-la e levá-la a descrer de si mesma. Induzir o outro ao erro permite criticá-lo e rebaixá-lo, mas, acima de tudo, dá-lhe uma imagem negativa de si mesmo e reforça assim sua culpa.

Quando a vítima não tem controle suficiente, basta ultrapassar os limites da provocação ou do desprezo para obter uma reação que poderá a seguir ser reprovada. Por exemplo, se a reação é de cólera, age-se de modo a fazer com que o comportamento agressivo seja observado por todos, a ponto de um espectador externo poder ser levado até a chamar a polícia. Pode-se mesmo

Assédio moral 137

ver o perverso incitar o outro ao suicídio: "Minha filha, você não tem mais nada a esperar da vida, eu não compreendo como é que você ainda não saltou pela janela!" É fácil em seguida para o agressor falar da vítima como sendo um doente mental.

Diante de alguém que congela tudo, a vítima vê-se compelida a agir. Mas, entravada pelo próprio enredamento, só consegue agir com uma sacudida violenta no sentido de recuperar sua liberdade. Para um observador externo, toda ação impulsiva, sobretudo se violenta, é considerada patológica. Aquele que reage à provocação aparece como o responsável pela crise. Culpado pelo perverso, para os que olham de fora ele parece ser o agressor. O que estes não vêem é que a vítima foi colocada em uma posição em que não pode mais respeitar um *modus vivendi* que é para ela uma armadilha. Ela está capturada em um duplo entrave e, faça o que fizer, não consegue sair dele: se ela reage, é geradora do conflito; se não reage, deixa desenvolver-se uma destruição letal.

O perverso narcisista tem prazer ainda maior quando consegue fazer ver a fraqueza do outro, ou desencadear uma violência que ele pode apontar como não sendo sua e que leva o outro a não ter orgulho de si. A partir de uma reação ocasional, ele recebe um rótulo de temperamental, de alcoólatra, ou de suicida em potencial. A vítima sente-se desarmada e tenta justificar-se, como se fosse realmente culpada. O prazer do perverso é, então, duplo: confundir e humilhar sua vítima e em seguida evocar diante dela sua humilhação. A vítima fica remoendo as mesmas coisas, enquanto o perverso narcisista tira proveito da situação, tendo o cuidado de, sem o dizer, assumir o papel de vítima.

Como nada é dito, pois nenhuma censura foi feita, não é possível justificativa alguma. A fim de encontrar uma saída para essa situação impossível, a vítima pode ser tentada a funcionar ela própria no não-dito e na manipulação. A relação torna-se equívoca: quem é o agressor, quem é o agredido? O ideal para o perverso é fazer com que o outro se torne "mau", o que transforma a malignidade em estado normal, partilhada por todos. Ele procura introjetar no outro o que há de mau nele. Corromper, é este seu objetivo último. Não há satisfação maior que a de ver seu alvo tornar-se, por sua vez, destruidor, ou levar vários indivíduos a se aniquilarem mutuamente.

Todos os perversos, sejam eles sexuais ou narcisistas, buscam induzir os outros a usar seus mecanismos, e depois levá-los a perverter as normas. Sua força de destruição funda-se sobretudo na propaganda que eles fazem no sentido de demonstrar aos que o cercam o quanto seu agredido é "mau", sendo, portanto, normal que ele seja incriminado. Por vezes o conseguem e obtêm até aliados, a quem eles levam a ultrapassar os próprios limites com um discurso de zombaria e menosprezo dos valores morais.

Não conseguir levar os outros a usarem de violência é para um perverso um fracasso, e, portanto, um meio de bloquear a propagação do processo perverso.

6

O AGRESSOR

TODA PESSOA EM CRISE PODE SER LEVADA A UTILIZAR mecanismos perversos para defender-se. Os traços narcísicos de personalidade são muito comumente encontráveis (egocentrismo, necessidade de ser admirado, intolerância à crítica). Não são por si só patológicos. Além disso, já nos aconteceu, a todos, manipular outra pessoa visando obter uma vantagem, e todos já experimentamos um passageiro ódio destruidor. O que nos distingue dos indivíduos perversos é que esses comportamentos ou sentimentos não foram mais que reações ocasionais, e foram seguidos de remorso ou arrependimento. Um neurótico assume sua unidade através de conflitos internos. A noção de perversidade implica uma estratégia de utilização, e depois de destruição do outro, sem a menor culpa.

Inúmeros são os psicanalistas que reivindicam um componente de perversidade normal em todo indivíduo: "Somos todos perversos polimorfos!" Referem-se à parte perversa que existe em todo neurótico e que lhe permite defender-se. Um perverso narcisista só se estrutura satisfazendo plenamente suas pulsões destrutivas.

140 *O agressor*

A perversão narcísica

A palavra *perversão* apareceu na língua francesa em 1444 (do latim *per-vertere*: virar ao contrário, revirar), definida como transformação do bem em mal. Atualmente, para o senso comum, a palavra *perverso* subentende um juízo moral.

No século XIX, os médicos alienistas interessaram-se pela perversão no plano médico-legal, buscando estabelecer a não-responsabilidade dos perversos, sem no entanto classificá-los entre os demais dementes. Definiam-na, então, como um desvio dos instintos: do instinto social, moral, nutricional...

Em 1809, Pinel reagrupou sob a denominação de "mania sem delírio" toda patologia ligada à pluralidade dos instintos: as perversões, os comportamentos associais, a piromania, a cleptomania...

Em seguida, Krafft-Ebing voltou a centrar o interesse em torno das perversões sexuais.

O termo *narcisismo* surgiu pela primeira vez em Freud, em 1910, a propósito da homossexualidade. Posteriormente, ele fará uma distinção entre o narcisismo primário e o narcisismo secundário. A noção de narcisismo primário está sujeita a inúmeras variantes na literatura psicanalítica. Não entraremos neste debate, mas temos que assinalar que Freud, nas primeiras linhas de *Uma introdução ao narcisismo*, declara que ele tomou o termo de empréstimo a P. Näcke (1899), que o havia utilizado para descrever uma perversão. Realmente, Näcke criou o termo *Narzissmus*, mas para comentar as idéias de H. Ellis que, pela primeira vez, em 1898, descrevera um comportamento perverso relacionando-o com o mito de Narciso.[1]

Embora Freud reconheça a existência de outras pulsões além das sexuais, ele não fala em perversão a este propósito. Há uma ambigüidade no adjetivo *perverso*, que corresponde a dois substantivos, "perversidade" e "perversão". Do ponto de vista da psicanálise, perversão é um desvio em relação ao ato sexual

---

[1] J. Laplanche e J.-B. Pontalis, *Vocabulaire de la psychanalyse*, Paris, PUF, 1968.

Assédio moral 141

normal, definido como coito visando chegar ao orgasmo pela penetração vaginal, ao passo que a perversidade caracterizaria o caráter e o comportamento de alguns indivíduos que dão provas de uma crueldade ou malignidade específica. Bergeret[2] diferencia as perversões de caráter, que correspondem às perversões mescladas de perversidade, das perversões sexuais.

O psicanalista P.-C.Racamier[3] foi um dos primeiros a elaborar o conceito de perverso narcisista. Outros autores, entre os quais Alberto Eiguer[4], tentaram depois uma definição mais precisa: "Perversos narcisistas são os indivíduos que, sob influência de seu grandioso eu, tentam criar um laço com um segundo indivíduo, dirigindo seu ataque particularmente à integridade narcísica do outro, a fim de desarmá-lo. Atacam igualmente seu amor-próprio, sua confiança em si, sua auto-estima e a crença em si próprio. Ao mesmo tempo, buscam, de certo modo, fazer crer que o elo de dependência do outro para com eles é insubstituível e que é o outro que o solicita."

Os perversos narcisistas são considerados psicóticos sem sintomas, que encontram seu equilíbrio descarregando em um outro a dor que não sentem e as contradições internas que se recusam a perceber. Eles "não fazem de propósito" o mal que fazem, eles fazem mal porque não sabem agir de outro modo para existir. Foram eles próprios feridos em sua infância e tentam assim manter-se vivos. A transferência da dor lhes permite valorizar-se às custas do outro.

O narcisismo

A perversão narcísica consiste na implantação de um funcionamento perverso em uma personalidade narcísica.

---

[2] J. Bergeret, *La Personnalité normale et pathologique*, Paris, Bordas, 1985.

[3] P.-C. Racamier, "Pensée perverse et decervelage", *in* "Secrets de famille et pensée perverse", *Gruppo* n.º 8, éditions Apsygée, Paris, 1992.

[4] A. Eiguer, *Le Pervers narcissique et son complice*, Paris, Dunod, 1996.

142   *O agressor*

No DSM IV, o manual de classificação internacional das doenças mentais, não encontramos a perversão narcísica entre os distúrbios da personalidade. São consideradas apenas as perversões sexuais, na rubrica dos distúrbios sexuais ou dos distúrbios da personalidade.

A personalidade narcísica é descrita como se segue (ou apresenta, pelo menos, cinco das seguintes manifestações):

- o sujeito tem um senso grandioso da própria importância; é absorvido por fantasias de sucesso ilimitado, de poder;
- acredita ser "especial" e singular;
- tem excessiva necessidade de ser admirado;
- pensa que tudo lhe é devido;
- explora o outro nas relações interpessoais;
- não tem a menor empatia;
- inveja muitas vezes os outros;
- dá provas de atitudes e comportamentos arrogantes.

A descrição que Otto Kernberg, em 1975, fez da patologia narcísica, aproxima-se bastante do que atualmente se define como a perversão narcísica[5]: "As principais características dessas personalidades narcísicas são um sentimento de grandeza, um egocentrismo extremado e uma total falta de empatia pelos outros, embora sejam eles próprios ávidos de obter admiração e aprovação. Esses pacientes sentem uma intensa inveja daqueles que parecem possuir coisas que eles não têm, ou que simplesmente têm prazer com a própria vida. Não apenas lhes falta profundidade afetiva e não conseguem compreender as emoções complexas dos outros, como seus próprios sentimentos não são modulados e passam por arroubos rápidos seguidos de dispersão. Ignoram particularmente os verdadeiros sentimentos de tristeza e de luto: essa incapacidade de experimentar reações depressivas é um traço fundamental de sua personalidade. Quando são abandonados ou decepcionados, podem mostrar-se aparentemente deprimidos, mas, a um exame mais atento, trata-se de raiva ou

---

[5] O. Kernberg, "A personalidade narcisista", *in Borderline Conditions and Pathological Narcissism*, New York, 1975.

Assédio moral **143**

de ressentimento com desejos de vingança mais que de uma verdadeira tristeza pela perda da pessoa que eles estimavam."

Um Narciso, no sentido do Narciso de Ovídio[6], é alguém que crê encontrar-se olhando-se no espelho. Sua vida consiste em procurar seu reflexo no olhar dos outros. O outro não existe enquanto indivíduo, apenas enquanto espelho. Um Narciso é uma casca vazia, que não tem existência própria, é um "pseudo" que busca iludir para mascarar seu vazio. Seu destino é uma tentativa de evitar a morte. É alguém que jamais foi reconhecido como ser humano e que foi obrigado a construir para si um jogo de espelhos para dar-se a ilusão de existir. Como num caleidoscópio, nesse jogo de espelhos, por mais que se repita e se multiplique, o indivíduo permanece construído sobre o vazio.

A passagem à perversão

O Narciso, não tendo substância, vai "parasitar" o outro, **e,** como uma sanguessuga, tentar aspirar-lhe a vida. Sendo incapaz de um verdadeiro relacionamento, ele só consegue estabelecê-lo por um mecanismo "perverso", de malignidade destrutiva. Incontestavelmente, os perversos sentem um prazer extremo, vital, com o sofrimento do outro e suas dúvidas, assim como têm o maior prazer em sujeitar e humilhar o outro.

Tudo começa e se explica com o Narciso vazio, construção em reflexo em lugar dele mesmo e sem nada no interior, do mesmo modo que um robô é construído para simular a vida, **ter** todas as aparências ou todas as performances da vida, sem **ter** vida. O desregramento sexual ou a maldade não são mais que as conseqüências inelutáveis dessa estrutura vazia. Como os vampiros, o Narciso vazio precisa alimentar-se da substância do outro. Quando a vida não existe, é preciso tentar apropriar-se dela ou, se isto for impossível, destruí-la para que não haja vida em parte alguma.

---

6 Ovídio, *Les Métamorphoses*, tradução francesa de G. Lafaye, Paris, Gallimard.

Os perversos narcísicos são invadidos por um "outro" sem o qual não podem mais passar. Este outro não é sequer um duplo, que teria uma existência, é apenas um reflexo deles mesmos. Daí a sensação que têm as vítimas de serem negadas em sua individualidade. A vítima não é um outro indivíduo, é apenas um reflexo. Qualquer situação que possa pôr em questão esse sistema de espelhos que mascara o vazio só pode suscitar uma reação em cadeia de furor destrutivo. Os perversos narcisistas não são mais que máquinas de reflexos, que procuram em vão sua imagem no espelho dos outros.

Eles são insensíveis, sem afeto. Como poderia uma máquina de reflexos ser sensível? Desse modo, não sofrem. Sofrer supõe uma carne, uma existência. Eles não têm história, porque estão ausentes. Somente os seres presentes no mundo podem ter uma história. Se os perversos narcisistas descobrissem seu sofrimento, algo começaria para eles. Mas seria alguma coisa totalmente diferente, o fim de seu funcionamento anterior.

A megalomania

Os perversos narcisistas são indivíduos megalômanos, que se colocam como referenciais, como medida padrão do bem e do mal, da verdade. Muitas vezes se lhes atribui um ar moralizador, superior, distante. Mas quando eles não dizem nada, o outro sente-se apanhado em falta. Eles exibem seus irrepreensíveis valores morais, que enganam e dão uma boa imagem deles próprios. Denunciam a maldade humana.

Apresentam uma total falta de interesse e de empatia para com os outros, mas desejam que os outros se interessem por eles. Tudo lhes é devido. Criticam todo mundo, mas não admitem o menor questionamento ou a menor censura. Diante deste mundo tão poderoso a vítima está forçosamente em um mundo cheio de falhas. Mostrar as dos outros é uma maneira de não ver as próprias falhas, de defender-se contra uma angústia de cunho psicótico.

Assédio moral 145

Os perversos iniciam relacionamentos com os outros visando seduzi-los. São decritos muitas vezes como seres sedutores e brilhantes. Uma vez apanhado o peixe na rede, é preciso apenas mantê-lo preso enquanto dele se tiver necessidade. O outro não existe, não é visto nem ouvido, é apenas "útil". Na lógica perversa não há a menor noção de respeito pelo outro.

A sedução perversa não comporta a menor afetividade, pois o princípio do funcionamento perverso é evitar qualquer afeto. Os perversos não se interessam pelas emoções complexas dos outros. São impermeáveis ao outro e à sua diferença, a não ser quando têm a impressão de que essa diferença pode atrapalhá-los. É uma negação total da identidade do outro, cujas atitudes e pensamentos devem estar de acordo com a imagem que eles próprios têm do mundo.

A força dos perversos é sua insensibilidade. Não experimentam qualquer escrúpulo de ordem moral. Não sofrem. Atacam com completa impunidade, porque mesmo quando, em revide, os parceiros utilizam defesas perversas, eles já foram escolhidos por não atingirem nunca a virtuosidade capaz de protegê-los.

Os perversos podem apaixonar-se por uma pessoa, uma atividade ou uma idéia, mas esses arroubos permanecem muito superficiais. Ignoram os verdadeiros sentimentos, em particular os sentimentos de tristeza e de luto. As decepções suscitam neles a cólera ou o ressentimento, com um desejo de vingança. Isso explica a raiva destrutiva que deles se apodera por ocasião das separações. Quando um perverso percebe uma ferida narcísica (derrota, rejeição), sente um desejo ilimitado de vingança. Não é, como no caso do indivíduo colérico, uma reação passageira e ruidosa, é um rancor inflexível, no qual o perverso empenha toda a sua capacidade de raciocínio.

Os perversos, assim como os paranóicos, mantêm uma distância afetiva suficiente para não se comprometerem realmente. A eficácia de seus ataques deve-se ao fato de a vítima – ou o observador externo – não conseguir imaginar que se possa ser a

A vampirização

O parceiro não existe como pessoa, mas apenas como portador de uma qualidade de que os perversos tentam apropriar-se. Os perversos se alimentam da energia dos que se vêem seduzidos por seu charme. Eles tentam apropriar-se do narcisismo gratificante do outro invadindo seu território psíquico.

O problema do perverso narcisista é remediar seu vazio. Para não ter que se confrontar com esse vazio (o que seria sua cura), o Narciso se projeta em seu contrário. Torna-se perverso no sentido primeiro do termo: desvia-se de seu vazio (enquanto o não-perverso enfrenta esse vazio). Daí seu amor e seu ódio por uma personalidade maternal, a figura mais explícita da vida interna. O Narciso tem necessidade da carne e da substância do outro para preencher-se. Mas é incapaz de nutrir-se desta substância carnal, pois não dispõe sequer de um começo de substância que lhe permitia acolher, captar e tornar sua a substância do outro. Esta substância torna-se seu mais perigoso inimigo, porque lhe revela seu próprio vazio.

Os perversos narcisistas sentem uma intensa inveja daqueles que parecem possuir coisas que lhes faltam, ou que simplesmente sabem extrair prazer da vida. A apropriação pode ser social, por exemplo, seduzir um parceiro que possa introduzi-lo em um meio social invejado, como a alta burguesia, o meio intelectual e artístico... O benefício dessa operação é possuir um parceiro que possibilite o acesso ao poder.

Dirigem a seguir seus ataques à auto-estima, à confiança em si do outro, para aumentar o próprio valor. Apropriam-se do narcisismo do outro.

Por razões ligadas à sua história nas primeiras fases da vida, os perversos não conseguiram se realizar. Observam com inveja que outros indivíduos têm o que é preciso para realizar-se.

Assédio moral 147

Passando ao lado de si mesmos, tentam destruir a felicidade que lhes passa perto. Prisioneiros da rigidez de suas defesas, tentam destruir a liberdade. Não podendo ter plena satisfação com o próprio corpo, tentam impedir o prazer que os outros têm com o seu, inclusive em seus próprios filhos. Sendo incapazes de amar, eles tentam destruir, por cinismo, a simplicidade de uma relação natural.

Para aceitar-se, os perversos narcisistas têm que vencer e destruir outrem, sentindo-se assim superiores. Sentem-se felizes com o sofrimento alheio. Para afirmar-se, têm que destruir.

Há neles uma exacerbação da função crítica, que faz com que passem todo o tempo criticando tudo e todos. Desse modo, mantêm-se onipotentes: "Se os outros são nulos, forçosamente eu sou melhor que eles!"

O motor do nódulo perverso é a inveja, o objetivo é a apropriação.

A inveja é um sentimento de ambição, de irritação odienta diante da felicidade e das vantagens do outro. Trata-se de uma mentalidade desde o primeiro momento agressiva, que se baseia na percepção daquilo que o outro dispõe e de que ele próprio se sente desprovido. Essa percepção é subjetiva, pode ser até delirante. A inveja abrange dois pólos: de um lado, o egocentrismo; do outro, a malevolência, com uma inveja desejosa de prejudicar a pessoa invejada. O que pressupõe um sentimento de inferioridade em relação à pessoa que tem o que é ambicionado. O invejoso lamenta ver o outro possuir bens materiais ou morais, mas seu desejo de destruí-los é maior que o desejo de obtê-los. Se ele os tivesse, não saberia o que fazer com eles, pois não dispõe de recursos para tal. Para preencher a distância que separa o invejoso do objeto de sua ambição, basta-lhe humilhar o outro, aviltá-lo. O outro assume, assim, os traços de um demônio ou de uma bruxa.

O que os perversos invejam, acima de tudo, é a vida que o outro tem. Invejam o sucesso alheio, que os põe face a face com seu próprio sentimento de fracasso, pois não estão mais contentes com os outros que consigo mesmos: nada está bem, nunca, tudo é complicado, tudo é um desafio. Impõem aos outros sua visão pejorativa do mundo e sua crônica insatisfação em relação à vida. Anulam todo entusiasmo em torno deles, buscando sobretudo demonstrar que o mundo é mau, que os outros são maus, que o parceiro é mau. Com seu pessimismo levam o outro a um mecanismo depressivo, para, em seguida, censurá-lo por isso.

O desejo do outro, sua vitalidade, apontam-lhes suas próprias faltas. Aqui nos deparamos com a inveja, comum a um sem-número de seres humanos, do vínculo privilegiado que a mãe tem com seu filho. É por isso que eles escolhem, na maior parte das vezes, suas vítimas entre pessoas cheias de energia e tendo prazer em viver, como se tentassem captar algo de sua força. O estado de servilismo, de sujeição de sua vítima às exigências de seus desejos, a dependência que eles criam, dão-lhes provas incontestáveis de ter conseguido sua apropriação.

A apropriação é a seqüência lógica da inveja.

Os bens de que aqui se fala raramente são bens materiais. São antes qualidades morais, difíceis de serem roubadas: alegria de viver, sensibilidade, capacidade de comunicação, criatividade, dons musicais ou literários... Quando o parceiro expressa uma idéia, as coisas se passam de tal modo que a idéia expressa deixa de ser sua, tornando-se do perverso. Se o invejoso não estivesse cego pelo ódio, ele poderia, em uma relação de troca, aprender como adquirir um pouco daqueles dons. Mas isso supõe uma modéstia que os perversos não têm.

Os perversos narcisistas apropriam-se das paixões do outro à medida que se apaixonam por este outro, ou, melhor, interessam-se por este outro à medida que ele se mostra detentor de alguma coisa que poderia apaixoná-los. Vemo-los, assim, ter arroubos de paixão seguidos de rejeições brutais e irremediáveis. Os que estão em torno não compreendem bem como uma pessoa pode ser elevada às nuvens em um dia e no dia seguinte estar sendo demolida, sem que nada, nenhum motivo de queixa possa aparentemente ter surgido nesse ínterim. Os perversos absorvem a energia positiva daqueles que os cercam, dela se alimen-

Assédio moral 149

tam e com ela se regeneram, pois despejam sobre eles toda a sua energia negativa.

A vítima dá uma contribuição enorme, mas que nunca é julgada suficiente. Não se contentando jamais, os perversos narcisistas estão sempre na posição de vítimas, e a mãe (ou, o objeto no qual eles projetaram sua mãe) é sempre considerada responsável. Os perversos agridem o outro para sair da condição de vítima que experimentaram desde a infância. Em um relacionamento, essa atitude de vítima seduz um parceiro que queira consolar, reparar – antes de ser posto na posição de culpado. Por ocasião das separações, os perversos posam de vítimas abandonadas, o que lhes dá o melhor papel e lhes permite seduzir um outro parceiro, consolador.

A irresponsabilidade

Os perversos consideram-se não-responsáveis, porque não têm uma verdadeira subjetividade. Ausentes de si mesmos, eles o são igualmente para os outros. Se não estão nunca onde se os espera, se não são nunca apanhados, isso acontece simplesmente porque não estão presentes. No fundo, quando eles acusam os outros de serem responsáveis pelo que acontece com eles, os perversos não os acusam, eles apenas constatam que, como eles não podem ser os responsáveis, o outro forçosamente o é. Jogar seu erro no outro, falar mal dele fazendo-o passar por mau, permite não só liberar seus instintos como também inocentar-se. Jamais responsáveis, jamais culpados: tudo que acontece de mau é sempre culpa dos outros.

Eles se defendem por meio de mecanismos de projeção: creditar ao outro todas as suas dificuldades e todos os seus insucessos, e não questionar-se nunca. Defendem-se, assim, com uma negação da realidade. Escamoteiam a dor psíquica transformando-a em negatividade. Negação que é permanente, mesmo nas menores coisas da vida cotidiana, mesmo quando a realidade prova o contrário. O sofrimento é excluído, assim como a dúvida. Que sejam suportados pelos outros. Agredir os outros é o meio de evitar a dor, a pena, a depressão.

Os perversos narcisistas têm dificuldade em tomar decisões na vida corrente e têm necessidade de que outros assumam as responsabilidades em seu lugar. Não são em absoluto autônomos, não podem dispensar o outro, o que os leva a um comportamento "pegajoso" e ao medo da separação; no entanto, acreditam que é o outro que solicita a sujeição. Recusam-se a ver o caráter devorador de seu apego ao outro, pois isto poderia levar a uma percepção negativa de sua própria imagem. O que explica a violência diante de um parceiro muito benevolente ou reparador. Mas se, pelo contrário, este é independente, é visto como hostil e rejeitador.

Sentem-se pouco à vontade ou impotentes quando estão sós, e buscam exageradamente obter a ajuda e o apoio dos outros. Têm igualmente dificuldade em iniciar projetos e fazer as coisas sozinhos. Provocam a rejeição porque isto lhes comprova que a vida é exatamente como eles a tinham previsto. Mas quando um relacionamento termina, eles buscam urgentemente um outro que lhes possa garantir a sustentação de que necessitam.

A paranóia

Os perversos narcisistas tendem a apresentar-se como moralistas, dando lições de probidade aos outros. Neste sentido aproximam-se das personalidades paranóicas.

A personalidade paranóica caracteriza-se por:

– hipertrofia do ego: orgulho, sentimento de superioridade;

– psico-rigidez: obstinação, intolerância, fria racionalidade, dificuldade em demonstrar emoções positivas, menosprezo pelo outro;

– desconfiança: temor exagerado da agressividade do outro, sentimento de ser vítima de malquerença do outro, suspeita, ciúme;

– falsidade de julgamento: interpreta acontecimentos neutros como sendo dirigidos contra ela.

Assédio moral 151

No entanto, à diferença do paranóico, o perverso, embora conheça bem as leis e as regras da vida em sociedade, serve-se dessas regras para melhor contorná-las com a maior tranqüilidade. É característico do perverso o desafio às leis. Seu objetivo é derrotar o interlocutor – mostrando-lhe que seu sistema de valores morais não funciona – e levá-lo a uma ética perversa.

A tomada do poder no caso dos paranóicos dá-se pela força, ao passo que a dos perversos se dá pela sedução – mas quando a sedução não funciona, eles podem recorrer à força. A fase de violência é, em si, um processo de descompensação paranóica: o outro tem que ser destruído porque é perigoso. É preciso atacar antes que ele próprio seja atacado.

Como vimos, a perversão narcísica é um mecanismo que permite evitar a angústia, projetando no exterior tudo que é mau. Trata-se, no caso, de uma defesa contra a desintegração psíquica. Atacando o outro, os perversos visam sobretudo proteger-se. Onde poderia surgir culpa, nasce uma angústia psicótica insuportável, que é projetada com violência no bode expiatório, isto é, naquele que é o receptáculo de tudo que seu agressor não consegue suportar.

Como tiveram eles próprios que aprender, desde a infância, para proteger-se, a separar neles mesmos as partes sãs das partes feridas, os perversos continuam a funcionar de maneira fragmentada. Seu mundo divide-se em bom e mau. Projetar tudo que é mau em outro permite-lhes estar melhor na vida e garante-lhes uma relativa estabilidade. Como se sentem impotentes, os perversos temem a onipotência que imaginam nos outros. Em um mecanismo quase delirante, desconfiam deles, emprestam-lhes uma maldade que não passa de projeção da sua. Quando esse mecanismo é eficaz, o ódio projetado em um alvo tornado presa basta para apaziguar as tensões internas, o que permite ao perverso mostrar-se uma companhia agradável em outros ambientes. Daí a surpresa, ou até a negação, por parte de pessoas que ficam sabendo das formas perversas de agir de um perverso que até então não havia mostrado mais que sua face positiva. Os testemunhos das vítimas parecem não merecer credibilidade.

7

A VÍTIMA

A vítima-objeto

A VÍTIMA É VÍTIMA PORQUE FOI DESIGNADA COMO TAL PELO PERVERSO. Torna-se o bode expiatório, responsável por todo o mal. Será daí em diante o alvo da violência, evitando a seu agressor a depressão ou o questionamento.

A vítima, enquanto tal, é inocente do crime pelo qual vai pagar. No entanto, mesmo as testemunhas da agressão desconfiam dela. Tudo se passa como se não pudesse existir uma vítima inocente. Imagina-se que ela tacitamente consinta, ou que ela seja cúmplice, conscientemente ou não, de sua agressão.

Segundo René Girard[1], nas sociedades primitivas as rivalidades nos grupos humanos produziam situações de violência generalizada, que se propagavam por mimetismo e não encontravam outra saída a não ser uma crise sacrificial, levando à exclusão (ou até mesmo à morte) de um homem, ou de um grupo de homens designados como responsáveis pela violência. A

---

[1] R. Girard, *La Violence et le Sacré*, Paris, Grasset, 1972.

Assédio moral 153

morte desse bode expiatório trazia consigo a eliminação da violência e a sacralização da vítima. Em nossa época, as vítimas não são mais sacralizadas, mas, quando não são consideradas inocentes, são julgadas fracas. É comum ouvir-se dizer que, se uma pessoa se tornou vítima, foi porque ela estava predisposta a isso, por sua fraqueza ou por suas faltas. Veremos, pelo contrário, que as vítimas são habitualmente escolhidas pelo que elas têm *a mais* e que é disso que o agressor busca apropriar-se.

Por que foi ela a escolhida?

Porque estava à mão e, de um modo ou de outro, tornara-se incômoda. Ela nada tem de específico para o agressor. É um objeto intercambiável, que estava à mão em um bom e/ou mau momento, e que cometeu o erro de deixar-se seduzir – e às vezes o de ser demasiado lúcida. Ela só tem interesse para o perverso quando é utilizável e aceita a sedução. Torna-se objeto de ódio a partir do momento em que dele escapa ou não tem mais nada a dar.

Não sendo mais que um objeto, pouco importa quem ela é. Porém o agressor evita alguém que possa vir a pô-lo em perigo. É por isso que evita cuidadosamente opor-se a outros perversos narcisistas, ou a paranóicos, que muito se assemelham a ele. Quando perversos e paranóicos se associam, isto apenas decuplica o efeito destruidor sobre a vítima escolhida. É o que se vê mais particularmente nos grupos e nas empresas. É tão mais divertido menosprezar alguém ou zombar dele diante de um espectador que a isso estimule! Sem com isso torná-las cúmplices, não é raro que os perversos recebam uma aprovação tácita das testemunhas que eles de início desestabilizaram e depois de certo modo convenceram.

A característica de um ataque perverso é ter em mira as partes vulneráveis do outro, o ponto em que há debilidade ou uma patologia. Todo indivíduo apresenta um ponto fraco, que se tornará para o perverso o ponto a ser atacado. Do mesmo modo que um alpinista se agarra às cordas sobre uma encosta rochosa para avançar, os perversos servem-se das falhas do outro. Eles têm uma intuição bastante forte de seus pontos de maior fragilidade, por onde o outro poderia ficar mal, ser atingido. Pode dar-se o caso de que essa falha seja exatamente o que o outro se recusa a ver em si mesmo. O ataque perverso é, então, uma revelação dolorosa. Pode ser um sintoma que o outro tenta banalizar, minimizar, e que a agressão perversa virá reativar.

A violência perversa confronta a vítima com sua falta, com os traumas esquecidos de sua infância. Ela excita a pulsão de morte que existe em embrião em todo indivíduo. Os perversos procuram no outro o embrião da autodestruição, que basta ativar por meio de uma comunicação desestabilizadora. A relação com o perverso funciona como um espelho negativo: a boa imagem de si é transformada em desamor.

Dizer que a vítima é cúmplice de seu agressor não tem sentido na medida em que a vítima, devido à dominação, não teve meios psíquicos para agir de outro modo. Ela estava paralisada. O fato de ter participado de maneira passiva do processo não altera em nada sua condição de vítima: "Se eu vivi com um homem que não me amava, não é à toa que estou nessa. Se não vi nada quando fui enganada, isto é algo ligado à minha história; mas, depois, a maneira como a separação se passou é algo que não era previsível e a que era impossível adaptar-me. Mesmo que eu agora compreenda que essa atitude não me era pessoalmente destinada, eu acho que se trata de uma agressão moral terrível, uma tentativa de assassinato psíquico."

A vítima não é, em si mesma, masoquista ou depressiva. Os perversos vão usar a parte depressiva ou masoquista que nela existe.

Como diferenciar a complacência masoquista do estado depressivo em que se encontra a vítima do perverso?

Será masoquismo?

O que surpreende, à primeira vista, é o fato de as vítimas aceitarem sua sorte.

Assédio moral 155

Como vimos, o discurso dos perversos narcisistas é um discurso totalitário, que nega o outro em sua subjetividade. Pode-se, então, levantar a questão de saber por que esta palavra é aceita ou mesmo interiorizada pelas vítimas. Por que, no momento em que a realidade pode desmentir esse discurso, as vítimas continuam a tê-lo como referencial? Já dissemos que elas estão psicologicamete atadas. Embora estejam sendo usadas, isso não significa que seja este o jogo que elas desejam jogar.

Freud distinguiu três formas de masoquismo: erógeno, feminino e moral.[2] O masoquismo moral seria uma busca ativa do fracasso e do sofrimento a fim de satisfazer uma necessidade de castigo.

Ainda segundo os critérios freudianos, é característico do masoquista não apenas comprazer-se com o sofrimento, as tensões, os tormentos, as complicações da existência, mas também não deixar de queixar-se deles e parecer pessimista. Seu comportamento canhestro atrai as antipatias, os insucessos. É-lhe impossível captar as alegrias da vida. Esta descrição corresponde mais aos próprios perversos que a suas vítimas, as quais, pelo contrário, mostram-se ricas, otimistas, cheias de vida.

No entanto, inúmeros psicanalistas tendem a considerar toda vítima de uma agressão perversa como secretamente cúmplice de seu carrasco, estabelecendo com ele uma relação sadomasoquista que é fonte de prazer.

Nas relações sadomasoquistas que correspondem ao masoquismo erógeno freudiano, os dois parceiros encontram prazer na agressividade a que se entregam. É o que é admiravelmente retratado na peça *Quem tem medo de Virginia Woolf?*, do dramaturgo americano Edward Albee (1962). Há, no caso, uma simetria oculta, em que cada um tem sua parte e há a possibilidade de sair do jogo se assim se desejar.

Mas o funcionamento perverso consiste em extinguir qualquer vestígio de libido. Ora, a libido é vida. É preciso, portanto, extinguir todo traço de vida, todo desejo, inclusive o de reagir.

---

[2] S. Freud, *Le Problème économique du masochisme*, Paris, PUF, 1924.

Na relação com os perversos, não há simetria, e sim dominação de um sobre o outro, e impossibilidade, para a pessoa submetida, de reagir e fazer cessar a luta. É nesse sentido que se trata realmente de uma agressão. O enredamento e controle inicialmente estabelecidos tiraram o poder de dizer não. A vítima é empurrada a essa situação perversa à sua revelia. Solicitou-se nela a parte masoquista que existe em cada indivíduo. Ela se viu engolfada em uma relação destrutiva sem ter meios de escapar dela. Foi atacada exatamente em seus pontos de maior fragilidade, seja esta fragilidade constitucional ou reacional. "Todo mundo oscila entre o desejo de independência, de autocontrole, de responsabilidade, e o desejo infantil de ver-se de novo em um estado de dependência, de irresponsabilidade e, como tal, de inocência."[3] O erro essencial da vítima está em não ter desconfiado antes, em não ter levado em consideração as violentas mensagens não-verbais. Ela não soube traduzir essas mensagens, tomou o que foi dito ao pé da letra.

Essa suposta tendência masoquista das vítimas, que as faria desejar ser submetidas a seu perseguidor, é recuperada pelos perversos: "Ele(a) gosta disso, é uma coisa que lhe agrada! Foi ele(a) quem quis!" A desculpa é fácil: eles sabem melhor que sua vítima o que ela sente: "Eu a trato assim porque ela gosta!"

Ora, atualmente, o masoquismo é objeto de vergonha, de culpa. "Eu não sou masô!", dizem os adolescentes. É preciso que se tenha um ar violento, agressivo. Não só as vítimas sofrem com sua condição de vítima, mas, além disso, têm vergonha de não conseguirem se defender.

O que diferencia dos masoquistas as vítimas de perversos é que, quando, às custas de um enorme esforço, elas conseguem separar-se, experimentam uma imensa sensação de liberdade. Sentem-se aliviadas porque o sofrimento, como tal, não lhes interessa.

Se elas se deixaram enredar no jogo perverso, por vezes durante longos períodos, é porque estão bem vivas e querem dar

---

[3] F. Roustang, *Comment faire rire un paranoïaque*, Paris, Odile Jacob, 1996.

Assédio moral   157

vida, inclusive empenhando-se na impossível tarefa de dar vida
a um perverso: "Comigo ele vai mudar!"

Seu dinamismo vem acompanhado de uma certa fragilidade. Lançando-se a impossível tarefa de ressuscitar mortos, elas
manifestam alguma incerteza quanto a suas próprias forças.
Insinua-se em sua iniciativa algo da ordem do desafio. Elas são
fortes e bem-dotadas, mas têm que provar a si mesmas que o são.
Sua vulnerabilidade advém da hesitação que sentem quanto à
própria capacidade. É o que, sem dúvida, as torna sensíveis na
fase da sedução, durante a qual o perverso não pára de valorizá-
las. Mais tarde, sua obstinação pode ser perigosa. Elas não
renunciam porque não conseguem imaginar que não há nada a
fazer e que nenhuma mudança pode ser esperada. Como veremos, elas se sentiriam culpadas se abandonassem o parceiro.

Se o masoquismo representa uma característica tão fundamental da vítima, por que não se manifesta em um outro contexto e por que acaba desaparecendo depois da separação do
agressor?

Seus escrúpulos

A falha que vai ser atacada pelo perverso em seu parceiro
situa-se, na maior parte das vezes, nos mecanismos de desvalorização e de culpa. Um procedimento evidente no sentido de
desestabilizar o outro é o de levá-lo a sentir-se culpado. Em *O
processo*, de Kafka[4], Joseph K. é acusado de ter cometido uma
falta, mas ele não sabe qual. Ele terá que esclarecer incessantemente essa acusação para compreender de que é acusado.
Duvida de suas lembranças, acabando por convencer-se de que
não é ele mesmo.

A vítima ideal é uma pessoa conscienciosa que tenha uma
propensão natural a culpar-se. Em psiquiatria fenomenológica,

---

[4] F. Kafka, *O processo*, São Paulo, Companhia das Letras, 1998.

158 *A vítima*

esse comportamento é conhecido e descrito, por exemplo, por Tellenbach[5], psiquiatra alemão, como um caráter pré-depressivo, o *typus melancolicus*. São pessoas apegadas à ordem, no campo do trabalho e das relações sociais, dedicadas a seu próximo e raramente aceitando que os outros lhes prestem serviço. Esse apego à ordem, essa preocupação em fazer bem as coisas levam tais pessoas a assumirem uma quantidade de trabalho superior à média, que lhes dá boa consciência, mas deixa-as com a sensação de estarem sobrecarregadas de trabalho e de tarefas até os limites do possível.

O etnólogo Boris Cyrulnik[6] observa, com muito acerto: "Muitas vezes os melancólicos casam-se com pessoas desprovidas de afetividade. O menos sensível do casal leva sua vidinha sem afetos, bem tranqüilamente, ainda mais pelo fato de o melancólico do casal, devido à sua culpa permanente, encarregar-se de todos os cuidados: ocupa-se de tudo, gerencia as empregadas, cuida dos problemas, até o momento em que, vinte anos depois, esgotado(a) pelos sacrifícios permanentes, ele(a) desmorona, chorando. Censura o parceiro de ter ficado com a parte boa do casal e de ter deixado para ele(a) todo o sofrimento."

Os pré-depressivos conseguem o amor do outro entregando-se, pondo-se à disposição do outro, e experimentam uma grande satisfação em prestar-lhe serviço ou proporcionar-lhe um prazer. E os perversos narcisistas aproveitam-se disso.

Essas pessoas têm dificuldade de suportar os mal-entendidos e as negligências, que elas tentam corrigir. Em caso de dificuldades, eles redobram seus esforços, sobrecarregam-se, sentem-se ultrapassados pelos acontecimentos, culpam-se, trabalham cada vez mais, cansam-se, tornam-se menos eficientes e, em um círculo vicioso, culpam-se cada vez mais, o que pode chegar até a auto-acusação: "É por falha minha que meu parceiro não está contente ou é agressivo." Se um erro é cometido, eles tendem a atribuir-se a culpa. Essa consciência exagerada está ligada ao

---

[5] H. Tellenbach, *La Mélancolie* (trad. franc.), Paris, PUF, 1961.

[6] B. Cyrulnik, *Sous le signe du lien*, Paris, Hachette, 1989.

Assédio moral   159

medo de falhar, pois a pressão da falta, o remorso, neles dão margem a um sofrimento demasiado grande.

São igualmente vulneráveis aos juízos do outro e a suas críticas, mesmo infundadas, o que os leva a permanentemente justificar-se. Os perversos, percebendo essa falha, têm o maior prazer em implantar neles a dúvida: "Será que eu não fui mesmo, inconscientemente, culpado daquilo de que me acusam?" Embora as acusações não tenham fundamento, essas pessoas não estão definitivamente seguras quanto a isso e perguntam-se se não deveriam, apesar de tudo, assumir o erro.

Esse funcionamento totalizador é idêntico no agressor e no agredido. Em ambos os casos, existe exacerbação da função crítica, voltada para fora, no caso do perversos, e para si mesmo, por parte das vítimas.

As vítimas assumem, de fato, a culpa do outro. Interiorizaram aquilo que as agride: o olhar, os gestos e as palavras. Por um fenômeno de projeção, os perversos narcisistas despejam sua culpa sobre sua vítima. Por ocasião de uma agressão, basta que os perversos neguem para que as vítimas duvidem. É por isso que certas vítimas recorrem a estratagemas para verificar posteriormente a realidade da violência. Guardam os comprovantes de trocas de correspondência, arrumam um jeito de ter uma testemunha oculta, ou até mesmo gravam conversas telefônicas.

Sob outro ponto de vista, nelas encontramos um sentimento de inferioridade subjacente, que chegam em geral a compensar, desde que não tenham ocasião de sentir-se em erro. Essa vulnerabilidade à culpa constitui uma fragilidade diante da depressão. Não constitui um estado depressivo, marcado pela tristeza e a lassidão; é, ao contrário, um estado que leva a pessoa a tornar-se hiperativa, em forte interação com a sociedade.

O encontro com um perverso narcisista pode ser vivido, em um primeiro momento, como um estimulante para sair da morosidade melancólica. Em um artigo, a psicanalista inglesa Massud Khan descreve de que modo a disposição passiva de uma mulher pré-depressiva a torna disponível a uma aliança perversa: "A meu ver, a vontade ativa do perverso somente se exerce no

160 *A vítima*

terreno da ilusão, em que sua vítima, por intermédio de sua vontade passiva, faz solicitações e subscreve aquela vontade ativa."[7] Tudo começa como um jogo, uma disputa intelectual, em que há um desafio a ser respondido: ser ou não ser aceito como parceiro de um personagem tão exigente. Os melancólicos "procuram emoções", procuram nesse relacionamento uma excitação que lhes permitirá sentir alguma coisa, valorizam-se por estarem escolhendo uma situação ou um parceiro difícil.

Poder-se-ia dizer que as vítimas potenciais são portadoras de uma melancolia parcial, com um ponto doloroso de um lado – que pode ser um traumatismo de infância – e, de outro, uma vitalidade muito grande. Os perversos não se atêm à parte melancólica e sim à parte viva, à vitalidade que eles percebem e da qual tentam apropriar-se.

Trata-se, no caso, de um confronto entre dois narcisismos. Em virtude de seu próprio déficit narcísico, as vítimas são paralisadas pela raiva que as impede de reagir, pois esta raiva é censurada e voltada contra elas mesmas.

Sua vitalidade

As vítimas suscitam inveja porque se expõem demais. Elas não sabem deixar de demonstrar o prazer que sentem em possuir tal ou qual coisa, não sabem não exibir sua felicidade. Em inúmeras civilizações, é de bom tom denegrir os bens materiais ou morais que se possui. Não fazê-lo é expor-se à inveja.

Em nossa sociedade, que propagandeia a igualdade, tem-se a tendência a pensar que a inveja é provocada, consciente ou inconscientemente (por exemplo, quando alguém é roubado, isso se deu por ter exibido excessivamente suas riquezas). As vítimas ideais dos perversos morais são aquelas que, não tendo confiança em si, sentem-se obrigadas a fazer sempre mais, a

---

[7] M. Khan, "L'alliance perverse", *Nouvelle Revue de psychanalyse*, 8, 1973.

Assédio moral   161

esforçar-se demais, para dar a qualquer preço uma melhor imagem de si mesmas.

É, pois, a força vital das vítimas que as transforma em presas.

Elas têm necessidade de dar e os perversos narcisistas de tomar: não se pode sonhar encontro mais ideal... Um recusa toda e qualquer culpa, o outro tem uma propensão natural a sentir-se culpado.

Para que neste jogo não se acenda uma vela para um mau defunto, é necessário que a vítima esteja "à altura", isto é, que saiba resistir em um primeiro momento, para acabar cedendo em seguida.

Sua transparência

As vítimas parecem ingênuas, crédulas. Não conseguindo imaginar que o outro seja fundamentalmente destruidor, elas tentam encontrar explicações lógicas e tentam desfazer um mal-entendido: "Se eu lhe explicar, ele vai compreender e pedir desculpas por seu comportamento!" Para quem não é perverso é impossível em um primeiro momento conceber tanta manipulação sendo feita por maldade.

Para tirar de si as marcas de seu agressor, as vítimas se fazem transparentes e tentam justificar-se. Quando uma pessoa transparente se abre a alguém inclinado à desconfiança, é provável que este venha a tomar o poder. Todas as chaves que as vítimas dão assim a seu agressor não fazem mais que aumentar o desprezo que ele lhes destina. Diante de um ataque perverso, as vítimas mostram-se de início compreensivas e tentam adaptar-se, compreendem ou perdoam aqueles que elas amam ou admiram: "Se ele é assim, é porque ele é infeliz. Eu vou dar-lhe tranqüilidade, vou curá-lo." Como por um sentimento de proteção maternal, elas acham que devem ajudá-lo, pois são as únicas capazes de compreendê-lo. Querem preencher o outro dando-lhe sua substância, às vezes sentem-se mesmo investidas de uma missão. Pensam poder compreender tudo, perdoar tudo, justificar tudo.

Persuadidas de que falando vão encontrar uma solução, permitem que os perversos, que recusam todo diálogo, coloquem-nas em xeque da melhor maneira que encontram. As vítimas alimentam a esperança de que o outro mude, que compreenda o sofrimento que está infligindo, que se arrependa. Esperam sempre que suas explicações, ou suas justificativas, eliminem os mal-entendidos, recusando-se a ver que não é por compreender alguém intelectual e afetivamente que se tem que suportar tudo.

Enquanto os perversos narcisistas estão fixados em sua rigidez, as vítimas tentam adaptar-se, compreender o que seu perseguidor quer, consciente ou inconscientemente, buscando qual é sua própria parcela de culpa. A manipulação se dá ainda melhor quando se trata de uma pessoa a quem a vítima tinha dado sua confiança (pai ou mãe, cônjuge, patrão). O perdão das vítimas, ou sua falta de rancor, as põe em posição de poder. Isso é intolerável para o agressor, pois assinala a desistência de sua vítima: "Eu não quero mais jogar com você!" O agressor fica frustrado. Sua vítima torna-se uma censura viva, o que não pode senão levá-lo a odiá-la ainda mais.

Parece que essa vulnerabilidade à dominação pode ser adquirida desde a infância. Muitas vezes nos perguntamos por que as vítimas não reagem. Vemos seu sofrimento, como abdicam da própria vida, e no entanto elas permanecem e até temem ser abandonadas. Sabemos que partir será sua salvação, mas elas não podem fazer isso enquanto não se desligarem de seus traumas de infância.

Alice Miller[8] demonstrou que uma educação repressiva, destinada a "domar" uma criança "para seu bem", quebra sua vontade e a leva a reprimir seus verdadeiros sentimentos, sua criatividade, sua sensibilidade, sua revolta. Segundo ela, esse tipo de educação predispõe a toda nova sujeição, seja ela individual, por um perverso narcisista, ou coletiva, em uma seita ou um partido político totalitário. Preparado assim desde a infância, um indivíduo deixar-se-á manipular na idade adulta.

---

[8] A. Miller, *La Souffrance muette de l'enfant*, Paris, Aubier, 1990.

Assédio moral   163

Os que, dentro de um clima repressivo ou incestuoso, puderam conservar uma possibilidade de reagir pela palavra, ou pela raiva, aos vexames e humilhações, saberão melhor, na idade adulta, proteger-se diante de um perverso narcisista.

As vítimas compreendem, mas ao mesmo tempo elas "vêem". Possuem uma hiperlucidez que as leva a nomear as fragilidades e as fraquezas de seu agressor. Uma ex-vítima disse que, a partir do momento em que detecta algo "falso" em seu interlocutor, ela se fecha. As vítimas vêem perfeitamente que esse comportamento é patológico: "Eu não mereço esse ódio, nem por minha grandeza nem por minha indignidade!"

Quando elas começam a dar nome ao que compreenderam, tornam-se perigosas. É preciso fazê-las calar pelo terror.

III

Conseqüências para a vítima e responsabilidades

Como em um filme de Hitchcock, ou em *A prisioneira espanhola*, de David Mamet (1997), a intriga desenrola-se sempre segundo o mesmo esquema: a vítima não percebe que está sendo manipulada; só quando a violência se torna realmente manifesta é que o mistério é revelado, com a ajuda de interferências externas. As relações iniciam-se com o charme e a sedução, e terminam com comportamentos aterrorizantes de psicopatia. No entanto, os perversos deixaram indícios, que só serão interpretados quando a vítima tiver saído parcialmente do enredamento inicial e estiver compreendendo a manipulação.

Como vimos, por ocasião da primeira fase as vítimas estão paralisadas; na fase seguinte serão destruídas.

8

AS CONSEQÜÊNCIAS DA FASE DE ENREDAMENTO

A renúncia

POR OCASIÃO DA FASE DE ENREDAMENTO, OS DOIS PRO-TAGONISTAS adotam, a contragosto, uma atitude de cessão mútua, para evitar o conflito: o agressor ataca com pequenos toques indiretos, de modo a desestabilizar o outro sem provocar abertamente o conflito; a vítima cede igualmente, e submete-se, temendo um conflito que levaria a uma ruptura. Ela sente que não há negociação possível com o outro, que este não desistirá, e prefere o acordo a arriscar-se a essa separação.

As atitudes de tentar se esquivar servem para evitar a emergência do ato violento, sem por isso mudar as condições que provocarão seu surgimento. A renúncia, nesta primeira fase, permite manter, custe o que custar, o relacionamento, em detrimento da própria vítima. Há uma espécie de aliança tácita entre os dois protagonistas. As vítimas dos perversos narcisistas, em um ilusório movimento altruísta, resignam-se, assim, a submeter-se aos abusos do outro. Embora se queixem das atitudes negativas do personagem, continuam a idealizá-lo em outros aspectos: "Ele é muito inteligente, é um bom pai..."

Se a vítima aceita tal submissão, o relacionamento instala-se de forma definitiva sobre este modelo, ficando um deles cada vez mais apagado ou deprimido, e o outro cada vez mais dominador e seguro de seu poder.

A confusão

Ao instalarem-se o enredamento e o controle as vítimas vão-se tornando cada vez mais confusas, sem saber ou ousar queixar-se. Ficam como que anestesiadas, queixam-se de ter um vazio na cabeça e dificuldade de pensar, descrevem o próprio empobrecimento, um aniquilamento parcial de suas faculdades, uma amputação do que elas tinham de mais vivo e espontâneo.

Mesmo tendo, por vezes, a sensação de estarem sendo injustiçadas, sua confusão é tal que elas não encontram nem meios de reagir. Realmente, diante de um perverso narcisista, a menos que se esteja dentro dos mesmos mecanismos, é impossível ter a última palavra: a única saída é submeter-se.

A confusão é geradora de estresse. Fisiologicamente, o estresse chega ao máximo quando se está imobilizado, prisioneiro de uma grande incerteza. As vítimas dizem muitas vezes que o que faz nascer a angústia não são tanto as agressões ostensivas quanto as situações em que elas não estão certas de serem em parte responsáveis. Quando o agressor é desmascarado, elas se dizem aliviadas.

> Depois de tudo que ele me havia dito, acabei acreditando que talvez ele tivesse razão, que eu estava maluca, histérica. Um dia ele veio me dizer, como já tinha feito muitas vezes antes, com um tom glacial e com um olhar de ódio, que eu era nula, incapaz, inútil à sociedade, e que eu faria melhor se me suicidasse. Por acaso minha vizinha estava lá, e ele não a tinha visto. Ela ficou apavorada e me aconselhou a dar queixa. Isto foi para mim um alívio. Alguém havia compreendido.

Vemos a importância da presença inopinada de testemunhas que não tenham tido tempo de ser influenciadas por um ou outro dos protagonistas.

A dificuldade que existe em se descrever um fenômeno de enredamento é que nele se dá primeiro uma atenuação de limites interiores entre os dois parceiros, depois uma explosão desses limites, e não é fácil demarcar o momento em que se passa bruscamente para a violência.

No combate psíquico, as vítimas são esvaziadas de sua substância e renunciam à sua identidade. Perdem todo valor a seus próprios olhos e também aos olhos de seu agressor, que não tem mais nada a fazer senão "jogá-las fora", pois nada mais tem a tirar delas.

A dúvida

Quando vem a surgir abertamente, a violência, mascarada inicialmente pelo controle, vem arrombar o psiquismo, que não estava preparado para isso por estar anestesiado pelo enredamento inicial. Trata-se de um processo impensável. As vítimas e as eventuais testemunhas não conseguem acreditar no que se passa diante de seus olhos, pois, a menos que sejam igualmente perversas, uma tal violência, sem a menor compaixão, é inimaginável. A tendência é atribuir ao agressor sentimentos (de culpa, tristeza, remorso) de que ele é totalmente desprovido. Na impossibilidade de compreender, a vítima permanece perplexa, negando a realidade do que ela não está em condições de ver: "Isto não pode estar acontecendo, isto não existe!"

Diante dessa rejeição violenta, sentida, mas verbalmente negada, as vítimas tentam inutilmente compreender e explicar-se. Buscam razões para o que lhes acontece e, não conseguindo encontrá-las, tornam-se permanentemente irritadiças ou agressivas, perguntando-se a todo instante: "Que foi que eu fiz para que ele(a) me trate assim? Será que tem alguma razão para isso?" Buscam explicações lógicas, porém tal processo é autônomo, nada tem a ver com elas. Elas dizem muitas vezes a seu agressor: "Diga o que é que você tem a me censurar, o que é que eu tenho que fazer para que nossa relação melhore!", e este responde imutavelmente: "Não há nada a dizer, é assim! De qualquer modo, você não entende nada, mesmo!" A impotência é a pior das condenações.

Mesmo quando as vítimas se dão conta de sua parcela de responsabilidade no desencadeamento da violência, elas vêem também que não é pelo que elas são que o processo destrutivo se desencadeia. Elas são as únicas a levar a culpa, os agressores são sempre inocentados. É difícil desprender-se dessa relação, pois os primeiros golpes desferidos deram lugar a uma culpa alienante. Uma vez na posição de culpadas, as vítimas sentem-se responsáveis pelo que é a relação, sua culpa não leva em conta a realidade. Interiorizaram aquilo que as agride.

Essa culpa vem muitas vezes reforçada pelos que a cercam, que, também confusos, raramente sabem apoiar sem emitir juízos e fazer comentários, ou dar interpretações grosseiras: "Você devia ser menos isto ou aquilo... Você não acha que está pondo lenha na fogueira?... Se está assim é porque você o está deixando irritado..."

Nossa sociedade tem uma visão negativa da culpa: é preciso não se deixar levar pelo sentimento, é preciso mostrar-se mais forte, etc. Assim como se diz que onde há fumaça há fogo, a sociedade tende a dizer que não há culpa sem erro. Aos olhos dos observadores de fora, os perversos fazem com que o erro de sua vítima seja por eles endossado.

O estresse

Aceitar essa submissão é algo que só se consegue às custas de uma grande tensão interior, que possibilite não ficar descontente com o outro, acalmá-lo quando está nervoso. esforçar-se para não reagir. Esta tensão é geradora de estresse.

Diante de uma situação estressante, o organismo reage pon-

Assédio moral 173

do-se em estado de alerta, produzindo substâncias hormonais, causando depressão do sistema imunológico e modificação dos neurotransmissores cerebrais. De início, trata-se de um fenômeno de adaptação, que permite enfrentar a agressão, seja qual for sua origem. Quando o estresse é episódico e o indivíduo consegue administrá-lo, tudo volta à ordem. Se a situação se prolonga, ou repete-se com intervalos próximos, ultrapassa a capacidade de adaptação do sujeito e a ativação dos sistemas neuroendócrinos perdura. E a persistência de elevadas taxas de hormônios de adaptação acarreta distúrbios que podem vir a instalar-se de forma crônica.

Os primeiros sinais de estresse são, segundo a suscetibilidade do indivíduo, palpitações, sensações de opressão, de falta de ar, de fadiga, perturbações do sono, nervosismo, irritabilidade, dores de cabeça, perturbações digestivas, dores abdominais, bem como manifestações psíquicas, como ansiedade.

A vulnerabilidade ao estresse varia de uma pessoa para outra. Durante muito tempo acreditou-se que se tratava de um dado biológico, genético. Sabe-se hoje que essa fragilidade pode ser adquirida progressivamente quando um indivíduo se defronta com agressões crônicas. No entanto, as pessoas de caráter impulsivo são mais sensíveis ao estresse, ao passo que os perversos não o são em absoluto, e defendem-se provocando o sofrimento do outro. Por exemplo, são os únicos que escapam da neurose de guerra ao voltar de combates violentos, como foi o caso da guerra do Vietnã.

O agressor escapa ao estresse ou ao sofrimento interno responsabilizando o outro por tudo que o perturba. No caso das vítimas não há escapatória, porque elas não compreendem o processo em curso. Nada mais tem sentido, algo que é dito em um momento é desmentido em outro, as evidências são negadas. Elas se esgotam em respostas inadequadas, que agravam a violência, acarretam um desgaste e a seguir uma disfunção neurovegetativa.

Como essas pressões continuam por longos períodos (meses ou até anos), a resistência do organismo esgota-se, e a vítima não consegue mais evitar a emergência de uma ansiedade crôni-

174 *As conseqüências da fase de enredamento*

ca. Desordens funcionais e orgânicas podem sobrevir, em conseqüência das perturbações neuro-hormonais.

Depois de uma longa série de insucessos, as vítimas se desencorajam e já antecipam cada novo fracasso. O que agrava nelas o estresse é a inutilidade das tentativas de defesa.

Este estado de estrese crônico pode traduzir-se no surgimento de uma perturbação ansiosa generalizada, com um estado de apreensão e antecipação constantes, ruminações ansiosas de difícil controle e um estado de tensão e de hipervigilância permanentes.

O medo

Conseguindo ou não atingir seus fins, os perversos narcisistas buscam despertar no outro uma certa violência que eles gostariam de poder ignorar.

Neste estágio, todas as vítimas descrevem um sentimento de medo. Elas se sentem permanentemente em alerta, à espreita do olhar do outro, de uma maior rudeza nos gestos, de um tom glacial, tudo podendo mascarar uma agressividade não expressa. Temem a reação do outro, sua tensão e sua frieza, os comentários ferinos, o sarcasmo, o desprezo, a zombaria, se não se mostrarem de acordo com o que ele espera.

Quer as vítimas, apavoradas, se submetam, quer elas reajam, de qualquer forma estarão erradas. No primeiro caso, os perversos, e talvez os que os cercam, dirão que decididamente elas nasceram para ser vítimas; no segundo, sua violência será apontada, e, desprezando toda verossimilhança, serão acusadas de serem responsáveis pelo fracasso do relacionamento, e também por tudo que, em outros aspectos, não deu certo.

Para fugir dessa violência, elas têm tendência a mostrar-se cada vez mais gentis, cada vez mais conciliadoras. Têm a ilusão de que esse ódio poderia ser dissolvido com amor e benevolência. E se dão mal, pois quanto mais generoso se é para com um perverso, mais se evidencia o quanto se é superior a ele, o que,

Assédio moral   **175**

obviamente, reativa sua violência. Quando o agredido reage igualmente com ódio, os perversos se rejubilam. Isso os justifica: "Não sou eu quem o(a) odeio, é ele(a) que me odeia."

O isolamento

Por enfrentar tudo isso, as vítimas sentem-se sós.

Como falar disso a alguém de fora? A destruição subterrânea é inexprimível.Como descrever um olhar carregado de ódio, uma violência que só aparece em subentendidos ou em silêncios? A violência só se manifesta diante do parceiro assediado. Como é que os amigos poderiam imaginar o que se passa? Mesmo quando vêm a saber da realidade das agressões, eles apenas se mostram perturbados e horrorizados. Em geral, os que estão à volta, mesmo vizinhos, mantêm-se a distância: "Eu não quero me meter nisso!"

As vítimas duvidam de suas próprias percepções, não estão certas de não estarem exagerando. Quando as agressões se dão diante de testemunhas, pode acontecer que as vítimas, sempre prontas a proteger seu agressor, julguem as reações excessivas e se vejam na paradoxal situação de defender aquele que as agride a fim de não pôr mais lenha na fogueira.

9

AS CONSEQÜÊNCIAS A LONGO PRAZO

O choque

O CHOQUE SE PRODUZ QUANDO AS VÍTIMAS TOMAM CONSCIÊNCIA da agressão. Até então elas não se davam conta, talvez estivessem até demasiado confiantes. Mesmo que observadores externos lhes tivessem feito notar sua submissão ou sua excessiva tolerância diante de alguma evidente falta de respeito, elas ter-se-iam recusado a vê-la. Repentinamente, compreendem que foram joguetes de uma manipulação.

Encontram-se, então, desamparadas e feridas. Tudo desmorona. A importância do traumatismo vem do efeito surpresa e da falta de preparo, conseqüência do enredamento inicial. Por ocasião do choque emocional, a dor e a angústia se misturam. É uma sensação de rompimento violenta, de estupefação, de transbordamento, ou de desmoronamento, que certas vítimas descrevem como sendo quase uma agressão física: "É como um murro!", ou "Ele me disse palavras tão terríveis que eu tive a impressão de ser um boxeador já caído a quem se continua a encher de golpes!"

Assédio moral 177

Singularmente, é raro ver surgirem movimentos de cólera ou de revolta, mesmo depois que as vítimas tomam a decisão de separar-se. No entanto, a cólera permitiria a libertação. As vítimas sabem assinalar a injustiça de sua sorte, mas nem por isso conseguem revoltar-se. A cólera só virá muito mais tarde e será, na maior parte das vezes, uma cólera reprimida e, como tal, ineficaz. Para experimentar uma cólera verdadeiramente libertadora é preciso que as vítimas saiam do domínio em que se enredaram.

Quando adquirem consciência da manipulação, as vítimas se sentem lesadas, como alguém que acaba de ser objeto de uma fraude dolosa. Encontra-se nelas um sentimento idêntico, de terem sido enganadas, exploradas, de não terem sido respeitadas. Descobrem, um tanto tardiamente, que são vítimas, que alguém as fez de joguete. Perdem sua auto-estima e sua dignidade, têm vergonha das reações que aquela manipulação provocou nelas: "Eu devia ter reagido mais cedo!" ou "Como foi que eu não vi isso?"

A vergonha vem da tomada de consciência de sua patológica tolerância, que permitiu a violência do outro.

Por vezes as pessoas desejam vingar-se, mas na maior parte dos casos ficam à procura de uma reabilitação, de um reconhecimento de sua identidade. Esperam um pedido de desculpas, que nunca receberão, por parte do agressor. Se conseguem alguma reparação é apenas muito mais tarde, e só por parte das testemunhas ou de cúmplices passivos que, manipulados pelo perverso, a ele se juntaram na agressão.

A descompensação

As vítimas, enfraquecidas por ocasião da fase de controle, sentem-se agora diretamente agredidas. A capacidade de resistência de um indivíduo não é ilimitada, sofre uma erosão progressiva, que leva a um esgotamento psíquico. Ultrapassado um certo limite de estresse, o trabalho de adaptação não consegue mais se dar e há descompensação. Perturbações mais duradouras começam a surgir.

É em geral no estágio da descompensação que nós, psiquiatras, encontramos essas vítimas. Elas apresentam um estado ansioso generalizado, perturbações psicossomáticas, ou um estado depressivo. Nos sujeitos mais impulsivos, a descompensação pode se dar com a passagem a atos violentos, que levam ao hospital psiquiátrico. Aos olhos dos agressores, não é raro que essas perturbações sirvam como justificativa para sua perseguição.

O que é espantoso, nesta fase, é que, quando vemos empregados perseguidos em seu próprio local de trabalho e propomos uma licença para tratamento, é raro que ela seja aceita: "Se eu parar, vai ser pior! Vão me fazer pagar caro por isso!" O medo faz com que aceitem tudo.

Esses estados depressivos estão ligados ao esgotamento, a um excesso de estresse. As vítimas sentem-se vazias, cansadas, sem energia. Nada mais lhes interessa. Não conseguem mais pensar ou concentrar-se, mesmo nas atividades mais banais. Podem, então, sobrevir idéias de suicídio. O risco é ainda maior no momento em que elas tomam consciência de que foram lesadas e que nada lhes dará a possibilidade de verem reconhecidas suas razões. Quando há um suicídio, ou tentativa de suicídio, isso conforta os perversos em sua certeza de que o outro era fraco, perturbado, louco, e que as agressões que lhe eram infligidas eram justificadas.

Quando se dá uma agressão perversa, o agressor age de maneira a mostrar-se todo-poderoso, demonstrando rigor moral e sabedoria. A desilusão, para a vítima crédula, é ainda maior. De modo geral, entre os acontecimentos da vida suscetíveis de desencadear um estado depressivo não se contam apenas as experiências de luto ou separação, mas também a perda de um ideal ou de uma idéia supervalorizada. Disso resulta um sentimento de inutilidade, de impotência, de derrota. Mais que uma situação difícil ou perigosa, é a experiência de derrota e de impotência, a sensação de ser humilhado e de estar preso em

Assédio moral 179

uma armadilha que pode ser o elemento desencadeador de um episódio depressivo.

Em uma situação de perseguição, depois de um sem-número de tentativas fracassadas de diálogo, instala-se um estado de ansiedade permanente, "gelado", entremeado de incessantes agressões – prelúdio de um estado de apreensão e de antecipação crônicas, que necessita muitas vezes de um consumo maior de medicamentos.

Em outras vítimas, a resposta é fisiológica: úlceras de estômago, doenças cardiovasculares, doenças de pele...Vemos algumas emagrecerem, tornarem-se fracas, expressando no corpo um dano psíquico de que não tomam consciência e que pode ir até a destruição da própria identidade. As perturbações psicossomáticas não resultam diretamente da agressão, mas do fato de o sujeito estar incapaz de reagir. Faça ele o que fizer, está errado, faça o que fizer, é culpado.

Para outros, ainda, a resposta é comportamental, de caráter, e resulta diretamente da provocação perversa. São tentativas inúteis de fazer-se ouvir – uma crise de nervos em público, por exemplo, ou então uma passagem a um ato agressivo contra o agressor – que virão mais uma vez justificar a agressão: "Eu lhe avisei, ele(a) é completamente doente!"

Sabe-se que a agressividade impulsiva, tal como a agressividade predadora, pode levar ao crime violento, mas parece que o risco de crime violento é mais forte nos indivíduos que apresentam uma agressividade de tipo impulsivo. Os perversos, para provar que sua vítima é má, estão prontos a provocar nela a violência para com eles. No filme *Passage à l'acte*, de Francis Girod (1996), um perverso manipula seu psicanalista a ponto de fazer com que este o mate. Acontece, porém, que a vítima volta essa violência contra si mesma, sendo o suicídio a única solução para livrar-se de seu agressor.

Outra conseqüência, muitas vezes ignorada, do traumatismo é a dissociação (Spiegel, 1993)[1], que pode ser descrita como

---

[1] C. Classen, C. Koopman e D. Spiegel, "Trauma and Dissociation", *Bulletin of the Menninger Clinic*, vol. 57, n.º 2, 1993.

uma fragmentação da personalidade. Ela é definida no DSM IV como a ocorrência de uma perturbação que atinge funções normalmente integradas como a consciência, a memória ou a percepção do ambiente. É um fenômeno de defesa contra o medo, a dor ou a impotência diante de um acontecimento traumático que é tão estranho a tudo que se pode normalmente imaginar que o psiquismo não tem outro recurso a não ser alterá-lo ou expulsá-lo da própria consciência. A dissociação opera uma separação entre o suportável e o insuportável, sendo este fadado à amnésia. Ela filtra a experiência vivida, trazendo assim um alívio e uma proteção parcial.

O fenômeno da dissociação vem reforçar o enredamento e vai constituir uma dificuldade suplementar, que terá que ser levada em conta na terapia.

A separação

Diante de uma ameaça que se mostra cada vez mais clara, as vítimas podem reagir de dois modos:

– submeter-se e aceitar a dominação, podendo o agressor a partir daí prosseguir tranqüilamente em sua obra de destruição;

– revoltar-se e lutar para ir embora.

Submetidas a um controle excessivo ou demasiado longo, certas pessoas não são capazes nem de fugir nem de lutar. Vão às vezes consultar um psiquiatra ou psicoterapeuta, mas anunciam de saída sua recusa em relação a todo e qualquer questionamento fundamental. Querem apenas "poder agüentar a barra", suportar sua situação de servidão sem sintomas demasiados e manter-se de pé, parecendo "firmes e fortes". Essas pessoas preferem habitualmente um tratamento medicamentoso em vez de uma psicoterapia mais longa. No entanto, caso os estados depressivos continuem sucedendo-se, pode haver um abuso de medicamentos tranqüilizantes ou de substâncias tóxicas, e o psiquiatra será obrigado a propor novamente uma psicoterapia. Quando o processo de acossamento está realmente em curso, é raro que

Assédio moral

181

cesse de outro modo que não pelo afastamento da vítima, e não são os medicamentos que lhe permitirão salvar sua pele.

Na maior parte das vezes, as vítimas reagem quando conseguem ver essa violência atuando sobre uma outra pessoa, ou quando conseguiram encontrar um aliado ou um apoio externo.

A separação, quando chega a acontecer, é por iniciativa das vítimas, nunca dos agressores. Esse processo de libertação se dá com dor e culpa, pois os perversos narcisistas posam de vítimas abandonadas e nisso encontram um novo pretexto para a violência. Em um processo de separação, os perversos consideram-se sempre lesados e chegam a entrar com ações judiciais, aproveitando-se do fato de sua vítima, pela pressa de ver tudo concluído, dispor-se ainda a todas as concessões.

No casal, a chantagem e a pressão se exercem através dos filhos, quando os há, ou nos procedimentos relativos aos bens materiais. No meio profissional, não é raro que um processo seja movido contra a vítima, que será sempre culpada de tudo – por exemplo, de ter levado com ela um documento importante. De qualquer forma, o agressor se queixa de estar sendo lesado, quando na realidade é a vítima que está perdendo tudo.

A evolução

Mesmo quando as vítimas, ao cabo de um esforço para se separar, perdem todo contato com seu agressor, são inegáveis as conseqüências traumáticas de uma passagem de sua vida em que tenham sido reduzidas à condição de objeto: toda lembrança ou novo acontecimento terá um outro sentido, relacionado com a experiência vivida.

O afastamento físico de seu agressor constitui, em um primeiro momento, uma libertação para as vítimas: "Vou poder, enfim, respirar!" Passada a fase do choque, reaparece o interesse pelo trabalho ou pelas atividades de lazer, uma curiosidade em relação ao mundo ou às pessoas, todas as coisas até então bloqueadas pela dependência. No entanto, isto não se dá sem dificuldades.

182 *As conseqüências a longo prazo*

Entre as vítimas de assédio, algumas saem dessa situação sem seqüelas psíquicas além de uma lembrança má que pode ser bem administrada – o que é verdadeiro sobretudo quando aquela dominação foi extrafamiliar e de curta duração. Muitas passam por fenômenos desagradáveis de reminiscência da situação traumática, mas aceitam-nos.

As tentativas de esquecimento levam, na maior parte das vezes, ao surgimento de distúrbios psíquicos ou somáticos retardados, como se o sofrimento permanecesse como um corpo estranho, ao mesmo tempo ativo e inacessível, no psiquismo.

A violência vivida pode deixar traços benignos, compatíveis com o prosseguimento de uma vida social praticamente normal. As vítimas parecem psiquicamente ilesas, mas persistem sintomas menos específicos, que são como que uma tentativa de escamotear a agressão sofrida. Pode ser uma ansiedade generalizada, fadiga crônica, insônia, dores de cabeça, dores múltiplas ou distúrbios psicossomáticos (hipertensão arterial, eczema, úlcera gastroduodenal), mas sobretudo condutas de dependência (bulimia, alcoolismo, toxicomania). Quando essas pessoas consultam seu clínico-geral, este lhes prescreve um medicamento sintomático ou um tranqüilizante. Nenhuma ligação é feita entre a violência que sofreram e os distúrbios que apresentam, pois as vítimas não gostam de falar disso.

Pode acontecer que as vítimas se queixem, *a posteriori*, de uma agressividade incontrolável, que é um resíduo do tempo em que elas estavam impossibilitadas de se defender, ou que pode ser também interpretado como uma violência transmitida.

Outras vítimas vão desenvolver toda uma série de sintomas que se aproximam da definição do estresse pós-traumático do DSM IV. Esta definição corresponde mais ou menos à antiga definição européia da neurose traumática, desenvolvida a partir da neurose de guerra durante a Primeira Guerra Mundial[2] e particularmente estudada pelos americanos em antigos comba-

---

2 S. Ferenczi, "Psychanalyse des névroses de guerre" (1918), *in Psychanalyse III*, trad. franc., Paris, Payot, 1990.

Assédio moral 183

tentes do Vietnã. Posteriormente este diagnóstico foi utilizado para descrever as conseqüências psicológicas de catástrofes naturais, de agressões a mão armada ou de estupros. Só muito recentemente foi utilizada a respeito da violência conjugal[3]. Não é comum falar-se de estresse pós-traumático a propósito de vítimas de assédio moral, pois esta denominação é reservada para as pessoas que se confrontaram com um acontecimento no qual sua segurança física, ou a do outro, foi ameaçada. No entanto, o general Crocq, especialista em vitimologia na França, julga que os ameaçados, os perseguidos e os difamados são vítimas psíquicas[4]. Essas vítimas, tais como as vítimas de guerra, foram postas em um "estado de sítio" virtual que as obrigou a se manterem permanentemente na defensiva.

As agressões ou as humilhações permanecem inscritas na memória e são revividas por imagens, pensamentos, emoções intensas e repetitivas, seja durante o dia, com impressões bruscas de iminência de uma situação idêntica, ou durante o sono, provocando insônias e pesadelos. As vítimas têm necessidade de falar dos acontecimentos traumatizantes, mas as evocações do passado levam, todas as vezes, a manifestações psicossomáticas equivalentes ao medo. Elas apresentam distúrbios de memória e de concentração. Por vezes perdem o apetite, ou têm, pelo contrário, condutas bulímicas, que aumentam seu consumo de álcool ou de fumo.

Mais a longo prazo, o medo de enfrentar o agressor e a lembrança da situação traumática levam a um comportamento de desvio, que dá lugar a estratégias para não pensar no acontecimento estressante e para evitar tudo que possa evocar aquela lembrança dolorosa. Esse distanciamento, para tentar escapar a uma parte das lembranças também acarreta, por vezes, uma nítida redução do interesse por atividades antes importantes, ou uma

---

[3] M.A. Dutton e L. Goodman, "Post-traumatic Stress Disorder among Battered Women: Analysis of legal implications", *Behavioral Sciences and the Law*, vol. 12, 215-234, 1994.

[4] L. Crocq, "Les victimes psychiques", *Victimologie*, novembro, 1994.

restrição dos afetos. Ao mesmo tempo persistem sinais neuro-vegetativos, como perturbações do sono ou hipervigilância.

Essas reminiscências dolorosas são descritas por quase todas as pessoas que foram vítimas de assédio, mas algumas conseguem livrar-se delas investindo em atividades externas, profissionais, ou mesmo assistenciais.

Com o tempo, a experiência vivida não é esquecida, mas pode ter influência cada vez menor. Como as próprias vítimas poderiam dizer, dez ou vinte anos depois, continua ainda a ser um tanto aflitivo para elas quando imagens de seu perseguidor lhes voltam à mente. Mesmo quando retomaram uma vida que se expande cada vez mais, essas lembranças podem sempre levar a um sofrimento-relâmpago. Anos depois, tudo que lembrar, de forma próxima ou distante, o que elas sofreram, fará com que fujam, pois o traumatismo desenvolveu nelas uma capacidade de perceber melhor que outros os elementos perversos de um relacionamento.

Para aqueles que foram assediados no local de trabalho, a importância das conseqüências a longo prazo só vem a ser muitas vezes percebida quando, depois de uma longa licença para tratamento, eles parecem sentir-se melhor e lhes é sugerido voltar a trabalhar. Vemos, então, reaparecerem os sintomas: crise de angústia, insônia, idéias negras... O paciente entra em uma espiral – recaída, nova licença de trabalho, retomada, recaída... – que pode levar à demissão.

Também pode acontecer que, quando as vítimas não conseguem desvencilhar-se do enredamento, sua vida pare neste traumatismo: seu *élan* vital amortece, a alegria de viver desaparece e toda iniciativa pessoal torna-se impossível. Elas continuam se queixando de terem sido abandonadas, enganadas, ridicularizadas. Tornam-se amargas, suscetíveis, irritadiças, em uma conduta de isolamento social e amargas ruminações. Estas vítimas ficam remoendo as coisas e os que a cercam não aceitam isso: "Já é uma história antiga, você devia pensar em outra coisa!"

No entanto, quer nas famílias, quer nas empresas, as vítimas raramente exigem vingança. Pedem acima de tudo o reconhe-

Assédio moral

cimento do quanto elas suportaram, mesmo que nunca venha a ser possível reparar completamente uma injustiça. Na empresa, essa reparação passa por uma indenização financeira que não pode de maneira alguma compensar o sofrimento vivido. É inútil esperar de um agressor realmente perverso remorso ou arrependimento. Para ele, o sofrimento dos outros não tem a menor importância. Se há algum arrependimento, ele vem do grupo em torno, dos que foram testemunhas mudas, ou cúmplices. Somente eles podem expressar seu remorso e com isso devolver a dignidade à pessoa a quem eles injustamente aviltaram.

10

CONSELHOS PRÁTICOS NO LAR E NA FAMÍLIA

Ninguém ganha no confronto com um perver-
so. O máximo que se consegue é aprender algo sobre si
mesmo.

A fim de defender-se, é grande a tentação, para a vítima, de
recorrer aos mesmos procedimentos que o agressor. No entanto, quando alguém se encontra na posição de vítima, é por ser o
menos perverso dos dois. E não vemos bem como isto poderia
ser invertido. Utilizar as mesmas armas que o adversário é totalmente desaconselhado. A lei é, realmente, o único recurso.

Reconhecer

Em um primeiro momento, trata-se, para a vítima, de reconhecer como perverso o processo que consiste em fazê-la carregar toda a responsabilidade do conflito conjugal ou familiar; em
seguida, analisar o problema "a frio", deixando de lado a culpa.
Para isso, ela tem que abandonar seu ideal de tolerância absoluta e reconhecer que alguém que ela ama, ou amou, apresenta

um distúrbio de personalidade perigoso para ela, e que ela tem que se proteger disso. As mães têm que aprender a reconhecer as pessoas que, direta ou indiretamente, fazem mal a seus filhos, o que não é fácil quando se trata de um parente próximo.

Uma pessoa só se defende bem depois que sai do enredamento e controle, depois que aceita dizer a si mesma que o agressor, sejam quais forem os sentimentos que se teve, ou que ainda se tenha para com ele, é perigoso para ela, maléfico.

No momento em que a vítima não entra mais no jogo perverso, isto desencadeia no agressor uma escalada de violência que o levará ao erro. Pode-se, então, apoiar-se nas estratégias do perverso para fazê-lo cair em sua própria armadilha. Significa isto que para defender-se é preciso utilizar também manobras perversas? Não, isto é um perigo que se deve a todo custo evitar. Sendo o objetivo final de um perverso perverter o outro levá-lo a tornar-se mau, a única vitória está em não se tornar igual a ele e não revidar com a agressão; mas é importante conhecer suas táticas e seu modo de funcionamento para desfazer suas agressões.

Uma regra essencial, quando se é acossado por um perverso moral, é parar de justificar-se. A tentação é grande, pois o discurso do perverso é recheado de mentiras proferidas com a maior má-fé. Toda explicação ou justificação só pode levar a vítima a mergulhar ainda mais num pântano. Qualquer imprecisão ou erro de sua parte, mesmo de boa-fé, poderá ser utilizada contra ela. A partir do momento em que se está na alça de mira de um perverso, tudo pode ser voltado contra. É melhor calar-se.

Para um perverso, o interlocutor está errado, ou, pelo menos, tudo que ele diz deve ser colocado sob suspeita. São-lhe atribuídas intenções malévolas, seus propósitos não podem ser senão mentirosos: os perversos não imaginam que se possa deixar de mentir.

As etapas precedentes do processo permitiram que a vítima visse que o diálogo e as explicações de nada serviam. Se tivesse que existir intercâmbio, este deveria ser feito por intermédio de um terceiro. No caso de contato direto, é preferível dar-se um tempo para refletir sobre qual a melhor resposta a dar.

Depois de uma separação, quando a perseguição se mantém por telefone, é sempre possível mudar de número ou filtrar as chamadas com uma secretária eletrônica. No que se refere à correspondência, é melhor pedir a alguém que a abra, pois as cartas dos perversos reintroduzem, em pequenos toques, um pouco de veneno e de sofrimento, desestabilizando novamente a vítima.

Agir

Quanto mais a vítima se tenha até então mostrado conciliadora, devido ao controle, mais lhe é necessário mudar de estratégia e agir com firmeza, sem temer o conflito. Sua determinação obriga o perverso a se desmascarar. Toda mudança de atitude por parte da vítima provoca, em geral, em um primeiro momento, uma escalada de agressões e de provocações. O perverso buscará cada vez mais pô-la em culpa: "Decididamente, você não tem a menor compaixão!"; "Não se pode nunca falar com você!"

Em vez de vítima paralisada, ela tem que agir para impedir que ele inverta as posições. Ao colocar-se como autora da crise aberta, ela pode parecer ser o agressor, mas é uma escolha que ela tem que assumir, pois somente daí pode vir uma mudança. A crise é como um salto para escapar daquele enredamento e controle mortíferos, ela permite que a vida renasça. É a única possibilidade de solução, ou, pelo menos, de direcionamento. Quanto mais a crise for retardada, mais violenta ela será.

Resistir psicologicamente

Para isto é importante ter algum apoio. Seja qual for o contexto, basta, às vezes, que uma única pessoa saiba expressar sua confiança nela, para que a vítima retome a autoconfiança. No entanto, é preciso não se fiar nos conselhos de amigos, da família ou de qualquer pessoa que tente colocar-se como mediador, pois os que estão mais próximos não conseguem ser neutros. Eles próprios ficam desorientados e pendendo ora para um lado, ora para o outro. As agressões perversas familiares permitem reconhecer rapidamente as amizades confiáveis. Certas pesssoas que parecem próximas deixam-se manipular, desconfiam ou emitem censuras. Outras, não compreendendo a situação, preferem sair fora. Os únicos apoios válidos são os dos que se contentam em estar ali, presentes e disponíveis, e que não julgam; aqueles que, aconteça que acontecer, saberão continuar sendo eles mesmos.

Fazer intervir a justiça

Às vezes a crise só pode ser resolvida com a intervenção da justiça. Utilizar esse olhar exterior permite esclarecer as coisas e dizer não.

Mas um julgamento só se estabelece a partir de provas. Uma mulher espancada pode fazer ver os vestígios dos golpes: se ela se defende, dirão que estava usando de legítima defesa. Uma mulher humilhada e injuriada dificilmente pode fazer-se ouvir, por não ter provas a apresentar.

Quando uma vítima está decidida a separar-se de seu cônjuge agressor, ela tem que encontrar um meio de fazer com que as agressões se dêem em presença de terceiros que possam vir a ser testemunhas. Deve também guardar todos os elementos escritos que possam servir no mesmo sentido: infamar, depreciar, marginalizar são ações que, comprovadas, constituem motivos de divórcio. O acossamento por telefone é um delito: pode-se solicitar a um procurador da República que se ponha na escuta para que a origem do telefonema seja registrada.

No caso de pessoas solteiras, o problema é mais complicado e só quando a agressão se torna uma infração é que a justiça pode intervir para enquadrar o agressor legalmente.

190   *Conselhos práticos no lar e na família*

Quando as próprias vítimas tiveram atitudes violentas em revide, elas hesitam em dar queixa. No entanto, a desculpa da provocação (por exemplo, os insultos) reduz a qualificação penal. A justiça reconhece que a violência da vítima era justificada pelos insultos do parceiro.

Os juízes mostram-se muito desconfiados diante das manipulações perversas. Temem que eles mesmos possam ser manipulados e, com uma preocupação de conciliação a qualquer preço, protegem-se dos dois lados, dando lugar a mediações demasiado tardias. O mesmo processo de insidiosa desqualificação, que consiste em tornar a vítima responsável por tudo que acontece, desenvolve-se, então, com a cumplicidade involuntária do mediador. É ilusório procurar obter um diálogo verdadeiro com um perverso, pois ele saberá sempre mostrar-se mais hábil e usará a mediação para desqualificar seu(sua) parceiro(a). Uma conciliação não pode ser feita em detrimento de uma das partes. A vítima já suportou demais, não se pode crer que ela ainda possa fazer concessões.

O único meio de proteger a vítima e impedi-la de reagir às provocações, diretas ou indiretas, é emitir ordens jurídicas rígidas e evitar qualquer contato entre as duas partes, esperando que um dia o perverso encontre uma outra vítima e afrouxe assim sua pressão.

Quando há filhos, sobretudo se eles próprios são objeto de manipulação, a vítima tem que salvar-se primeiro para depois protegê-los da relação perversa. Isto implica, por vezes, em passar por cima das hesitações dos filhos, que prefeririam que nada fosse mexido. Cabe à justiça tomar medidas de proteção, a fim de evitar os contatos que possam reativar a relação perversa.

11

CONSELHOS PRÁTICOS NA EMPRESA

Descobrir

ANTES DE MAIS NADA, É IMPORTANTE OBSERVAR BEM o processo de assédio e, se possível, analisá-lo. Se se tem a sensação de estar sendo ameaçada a própria dignidade ou a própria integridade psíquica em virtude da atitude hostil de uma ou de várias pessoas, e isso acontecer regularmente e por um longo período, pode-se pensar que se trata efetivamente de um assédio moral.

O ideal é reagir o mais cedo possível, antes de ser mergulhado em uma situação em que não haja mais outra solução a não ser sair do emprego.

A partir daí é importante atentar para qualquer forma de provocação, ou a toda e qualquer agressão. Como no caso do assédio psicológico familiar, a dificuldade de defender-se reside no fato de que raramente há provas evidentes.

A vítima deverá, então, acumular os dados, os indícios, registrar as injúrias, fazer fotocópia de tudo que poderá, em um momento ou outro, constituir sua defesa.

192   *Conselhos práticos na empresa*

Seria igualmente desejável que ela garantisse o apoio de testemunhas. Infelizmente, em um contexto de opressão, os colegas muitas vezes não se solidarizam com a pessoa assediada, por medo de represálias; além disso, quando um assediador se fixa em uma determinada pessoa, geralmente os outros ficam a salvo e preferem permanecer à sombra. No entanto, basta um testemunho para dar fé às alegações de uma vítima.

Buscar ajuda dentro da empresa

Enquanto se está ainda em condições de lutar, é preciso buscar ajuda dentro da própria empresa. Muito freqüentemente, os empregados não reagem, a não ser quando entra em curso um processo de demissões. Por isso a busca nem sempre é fácil, pois, quando a situação chega a degradar-se a esse ponto, é porque o responsável hierárquico, mesmo que não seja pessoalmente o detonador do processo, não conseguiu reagir de maneira eficaz. Se este suporte moral não puder ser obtido no próprio departamento, pode ser buscado em outros serviços.

Em cada etapa de uma busca de ajuda dentro da empresa, o empregado pode sair do processo de assédio se tiver a possibilidade de encontrar um interlocutor que saiba ouvir. Mas se o processo se instalou é porque essa possibilidade não se deu.

Quando a empresa é de porte médio, o primeiro passo é ir ver o DRH (Diretor de Recursos Humanos). Infelizmente, alguns DRH não passam de "chefes de pessoal", eficientes, sem dúvida, no que se refere a técnicas profissionais de gerenciamento, de cálculo ou de direito trabalhista, mas que não têm ouvidos nem tempo a ser dedicado às dificuldades de relacionamento entre os empregados. Em uma empresa pede-se apenas a todo mundo, inclusive aos DRH, que apresentem resultados. Entre as suas tarefas, muitas podem dar lugar a um resultado estatístico, mas o que diz respeito à escuta e ao acompanhamento, às "relações humanas" propriamente ditas, não cabe em estatísticas e raramente se inclui entre as preocupações que exigem seu tempo. Pode acontecer, também, que isso não lhes interesse em absoluto.

Se o DRH não pôde, ou não quis fazer nada, é o momento de ir ao médico do trabalho. Este, em um primeiro momento, pode ajudar a vítima a verbalizar melhor seu problema; depois, com suas constatações no local de trabalho e por ocasião da consulta médica, pode conseguir que os empregados e os responsáveis tomem consciência das graves conseqüências das situações de violência psicológica. Esse trabalho de mediação só é possível se ele ocupar na empresa um cargo de confiança e conhecer bem os protagonistas. Na maior parte das vezes, o médico do trabalho é contatado demasiado tarde por um empregado psicologicamente desestabilizado, e pode apenas protegê-lo, aconselhando-o a buscar um médico e uma licença para tratamento de saúde. A posição do médico do trabalho não é fácil, pois ele emite também certificados de aptidão que podem gerar conseqüências para o empregado. Inúmeros empregados temem igualmente ir vê-lo, pois sabem que ele é um assalariado como eles, e nem sempre podem estar seguros quanto à sua independência de espírito em relação à empresa que os persegue, ou que permite que esta perseguição se processe.

Resistir psicologicamente

Para defender-se de igual para igual, é preciso estar em boas condições psicológicas. Como vimos, a primeira fase do assédio consiste em desestabilizar a vítima. Será preciso, então, consultar um psiquiatra ou um psicoterapeuta, a fim de recuperar a energia que lhe permitirá defender-se. Para diminuir o estresse e suas conseqüências para a saúde, a única solução é uma licença no trabalho. Mas inúmeras vítimas recusam-se a tal, no primeiro momento, temendo agravar o conflito. Se a pessoa é depressiva, uma ajuda medicamentosa, tranqüilizante e antidepressiva torna-se realmente necessária. A pessoa só deverá voltar ao trabalho quando estiver totalmente em condições de defender-se, o que pode levar a uma suspensão relativamente longa do trabalho (por vezes de inúmeros meses) que eventualmente se transformará em CLD (licença para tratamento de doença de longa duração). Os médicos psiquiatras e os médicos do Conselho de Seguridade Social vêem-se, assim, obrigados a tomar a seu cargo a proteção das vítimas e a regulamentar os problemas profissionais; no entanto, as soluções deveriam ser de ordem jurídica.

> Uma vítima desmorona. Seu médico lhe dá uma licença para tratamento de saúde por depressão, o que concilia a situação quanto ao agressor e à empresa. Quando a vítima anuncia o fim de sua licença, a direção a aconselha a prolongar o afastamento. O médico recusa, argumentando que o problema está no local de trabalho e deve ser regulamentado entre o empregado e a empresa. A vítima retoma seu trabalho e é censurada por não ter se cuidado.
>
> Uma outra vítima, perseguida há vários meses por seu patrão, recebe uma licença para tratamento de saúde devido à depressão. A cada tentativa de retomada, ela tem uma recaída. O patrão se torna de tal forma ameaçador que a vítima dá queixa. Para evitar uma condenação na justiça do trabalho, o patrão aceita licenciar sua funcionária, mas antes é preciso preencher certas formalidades. A vítima, ainda em licença de saúde, está melhor. Deverá ela retomar seu trabalho enquanto espera que seu licenciamento seja efetivado? O médico do trabalho, chamado a dar seu parecer, decidiu que não. Prefere proteger a vítima prolongando sua licença de trabalho até a saída definitiva.

Como o jogo do assediador consiste em fazer provocações e levar o outro ao erro, suscitando sua cólera ou seu desnorteamento, a vítima terá que aprender a resistir. Em determinadas situações, é mais fácil deixar-se levar e submeter-se que resistir e arriscar-se ao conflito. Por mais que tenham a suportar, eu aconselho as vítimas a se mostrarem indiferentes, a manter o

Assédio moral 195

sorriso e responder com bom humor, mas sem matizá-lo com ironia. Devem permanecer imperturbáveis e nunca entrar no jogo da agressividade. É preciso que deixem falar, sem irritar-se, anotando cada agressão para preparar a própria defesa.

Para limitar o risco de um erro profissional, a vítima deve ser irrepreensível. Mesmo que o perseguidor não seja seu superior hierárquico, ela está, de fato, colocada sob a luz dos projetores. Observam-na para saber o que está acontecendo. O mínimo atraso, a mínima falta são considerados provas de sua responsabilidade no processo.

Será bom, também, que ela adquira a desconfiança, fechando suas gavetas a chave, levando consigo sua agenda profissional, ou algum relatório importante no qual esteja trabalhando, mesmo na hora do almoço. É evidente que isso é detestável para as vítimas. Na maior parte das vezes, só quando a situação já está irrecuperável e elas já estão preparando um relatório para a Justiça do Trabalho é que recorrem a isso.

A fim de reencontrar uma certa autonomia de pensamento e o espírito crítico, as vítimas deverão passar a usar uma nova grade de comunicação, como que um filtro sistemático que lhes permita ajustar a realidade ao bom senso. Tomar as mensagens ao pé da letra, se for necessário, pedindo que sejam explicitadas, e recusar-se a dar ouvidos aos subentendidos.

Isto supõe que a pessoa perseguida seja capaz de manter seu sangue-frio. Ela tem que aprender a não reagir às provocações de seu agressor. Não reagir é particularmente difícil para alguém que tenha sido escolhido em razão de sua impulsividade. A vítima deve sair de seus esquemas habituais, aprender a manter-se calma, a esperar o momento propício. É importante que, no fundo, ela mantenha a certeza de que está com a razão e que, mais cedo ou mais tarde, conseguirá fazer-se ouvir.

Agir

Ao contrário do que aconselho no domínio familiar, em que é essencial, para sair do enredamento e controle, parar de justificar-se, no domínio profissional é preciso ser extremamente rigoroso a fim de contrapor-se à comunicação perversa. Será necessário antecipar-se às agressões, assegurando-se de que não haja qualquer ambigüidade nas instruções ou nas ordens recebidas, fazendo com que sejam elucidadas as imprecisões e esclarecidos os pontos duvidosos. Se as dúvidas persistirem, o empregado deverá solicitar uma entrevista para obter esclarecimentos. Se esta lhe for recusada, não deverá hesitar em exigir esta entrevista através de carta registrada. Esta correspondência poderá servir de prova da falta de diálogo em caso de conflito. É preferível passar por anormalmente desconfiado, e até arriscar-se a ser qualificado de paranóico, que se deixar apanhar em falta. E não é mau que, invertendo as coisas, a vítima inquiete seu agressor fazendo-lhe ver que, de ora em diante, ela não mais deixará que a façam de gato e sapato.

É habitualmente quando a vítima constata que nenhuma solução lhe foi proposta e teme ser demitida, ou pensa em pedir demissão, que ela se volta para os sindicatos ou representantes de pessoal. Mas é preciso saber que, quando uma situação de perseguição é comunicada aos sindicatos, o conflito torna-se aberto. A intervenção destes consiste, então, em negociar uma saída. É muito difícil obter uma mediação de tal nível porque os representantes de pessoal têm mais um papel reivindicativo do que um papel de escuta e mediação.

No caso da França, para uma entrevista prévia à demissão, a lei prevê que o empregado pode fazer-se acompanhar por qualquer pessoa, à sua escolha. Pode ser um delegado sindical, se houver um na empresa, ou um representante dos empregados. Estes são sindicalistas de fora da empresa, cuja lista pode ser encontrada nas administrações regionais ou nas prefeituras, e que defendem gratuitamente os empregados nas pequenas causas. Em casos de assédio, é importante que o acompanhante seja

Asédio moral   197

alguém em que se tenha toda confiança e que se saiba *a priori* que não vai deixar-se manipular.

Demitir-se será dar ao agressor uma vitória muito fácil. Se a vítima tiver que sair – e a essa altura isso é a sua salvação – ela tem que lutar para que sua saída se processe em condições corretas.

Não havendo motivo real de demissão por justa causa, o empregador pode dar baixa do trabalho por incompatibilidade de gênios. Este motivo é pouco utilizado, porque tem que ser comprovado com fatos bastante precisos, sob pena de ser rejeitado diante de um tribunal do trabalho, sobretudo se o empregado estiver há muito tempo na empresa. Mas, quando alguém consegue pôr todo um setor contra uma pessoa e todo mundo se queixa dela, este motivo pode ser utilizado.

Se o assédio por parte do empregador não tiver cessado, é pouco provável que depois seja ele que venha propor um acordo. Caberá ao empregado fazê-lo, com a ajuda de um sindicato ou de um advogado.

Fazer intervir a justiça

O assédio moral

Não há, no arsenal jurídico, lei alguma que reprima o assédio moral. Por isso é muito difícil acusar penalmente (isto é, em um tribunal) aquele que o utiliza. De qualquer forma, essa iniciativa é sempre longa e penosa.

No entanto, uma resolução adotada pela Assembléia das Nações Unidas, em anexo à declaração dos princípios fundamentais de justiça relativos às vítimas da criminalidade e às vítimas de abuso de poder, define as vítimas de abuso de poder da seguinte forma: "Entende-se por *vítimas* pessoas que, individual ou coletivamente, tenham sofrido algum prejuízo, principalmente uma ofensa a sua integridade física ou mental, um sofrimento moral, uma perda material, ou uma injúria grave a seus direitos fundamentais. em virtude de atos ou omissões que não constituem ainda uma violação da legislação penal nacional, mas representam violações de normas internacionalmente reconhecidas em matéria de direitos humanos."

Na França, a legislação trabalhista não prevê proteção alguma às vítimas de assédio moral. Encontramos apenas a vaga expressão "má conduta" ao serem comentados artigos de lei sobre o poder disciplinador do empregador: "Em princípio, o tipo de comportamento aqui visado, sendo do domínio da vida privada do empregado, não justifica uma decisão de demissão. Mas dá-se o contrário quando os fatos censurados são passíveis de criar uma perturbação na empresa. Uma atitude indecente e reiterada de um empregado com relação a suas colegas do sexo feminino justifica uma demissão por falta grave."

Na Suécia, o assédio moral na empresa é um delito desde 1993. Ele é igualmente reconhecido na Alemanha, nos Estados Unidos, na Itália e na Austrália. Na Suíça, no quadro de uma empresa privada, são aplicáveis a lei federal sobre o trabalho relativas às medidas de higiene e de proteção da saúde, bem como o Artigo 328 da Legislação do Trabalho, que trata da proteção à personalidade do trabalhador ou da trabalhadora: "O empregador é obrigado a tomar todas as medidas necessárias a fim de assegurar e melhorar a proteção da saúde, e garantir a saúde física e psíquica dos trabalhadores (...) A luta contra o assédio deve fazer parte dessas medidas, pois põe em perigo a saúde física e psíquica da pessoa assediada."

No entanto, quando o agressor é um patrão que utiliza sistematicamente procedimentos perversos para aterrorizar um membro de seu pessoal, é preciso que ele seja detido utilizando-se o direito, sobretudo se tiver havido violência física ou sexual. Esses agressores, que não ousam confrontar-se diretamente com seu empregado, não ousam igualmente enfrentar a justiça. Eles têm medo e por isso negociam uma demissão. Na realidade, os perversos temem os processos na justiça, porque poderiam revelar publicamente a malignidade de suas condutas. Eles procuram primeiro fazer calar as vítimas pela intimidação e, se isso não

Assédio moral

bastar, preferem negociar, posando, por sua vez, de vítimas de um empregado maquiavélico.

O assédio moral tem um tal poder de nocividade que é difícil contê-lo. Se os indivíduos, primeiro, e as empresas, em seguida, não encontrarem soluções para voltar aos limites da civilidade e do respeito pelo outro, mais dia menos dia virá a ser necessário legislar sobre o assédio moral na empresa, tal como foi necessário fazer em relação ao assédio sexual.

Não há atualmente, que eu saiba, qualquer associação específica de apoio às vítimas de assédio que possa assessorá-las em suas iniciativas. Apenas a AVFT (Associação Européia contra as Violências Sofridas no Trabalho) atende, sem distinção de sexo, as pessoas vítimas de discriminações e de violências sexistas ou sexuais em seu local de trabalho.[1]

O assédio sexual

Desde 1992, o assédio sexual é um delito penal e uma infração na legislação trabalhista francesa. A lei proíbe que um empregado seja punido ou demitido por ter sofrido, ou recusado, iniciativas de assédio sexual.

O Artigo 21 da Legislação do Trabalho, relativo ao assédio sexual, contempla apenas o assédio com abuso de poder: "Nenhum empregado pode ser punido, nem demitido, por ter sofrido, ou se recusado a sofrer, tentativas de assédio por parte do empregador, de seu representante ou de qualquer outra pessoa que, abusando da autoridade que lhe conferem suas funções, tenha dado ordens, proferido ameaças, imposto coerções ou exercido pressões de qualquer natureza sobre este empregado com o objetivo de obter favores de natureza sexual, em proveito próprio ou de um terceiro."

---

[1] AVFT, BP 108, 75561 Paris Cedex 12.

200   *Conselhos práticos na empresa*

Como vemos, o legislador prevê apenas uma forma de assédio: a chantagem. Ora, esta forma de violência deveria ser reprimida por si mesma e não por ter relação com o vínculo hierárquico e com ameaças de demissão.

Na França, abrir um processo é realmente entrar numa luta, pois as vítimas encontram inúmeras resistências ou bloqueios. O assédio, mesmo de ordem sexual, e mesmo com provas, não é levado em consideração. Como no caso das agressões sexuais até bem pouco tempo, as resistências iam desde a recusa em registrar queixa por parte dos delegados ou dos policiais (que não estão treinados para isto) até a desqualificação dos fatos pelos magistrados. Os processos são muitas vezes colocados entre os sentenciados com um carimbo "Arquive-se".

O problema do assédio sexual existe em escala mundial. No Japão, as queixas de assédio sexual se multiplicam, ainda mais porque naquele país existe o costume, mesmo no caso de mulheres executivas, de convidar os clientes importantes para bares, restaurantes de luxo, ou até para os *no pan clubs* (bares em que as serventes não usam nada por baixo da minissaia). A nova lei sobre a igualdade dos sexos no local de trabalho, que entrou em vigor em abril de 1999, prevê dispositivos contra tais práticas. Em vez de debocharmos dos excessos americanos em matéria de processos por assédio sexual, faríamos melhor se implantássemos uma política de prevenção, impondo o respeito ao indivíduo em seu local de trabalho.

Organizar a prevenção

O assédio se instala quando o diálogo é impossível e a palavra daquele que é agredido não consegue fazer-se ouvir. Prevenir é, portanto, reintroduzir o diálogo e uma comunicação verdadeira. Nesse sentido, o médico do trabalho tem um papel primordial. Ele pode, junto com as instâncias dirigentes, tomar a iniciativa de uma reflexão em comum a fim de buscarem soluções. Os CHSCT (Comitês de Higiene, Segurança e Condições

Assédio moral 201

de Trabalho) atuam nas empresas em que há mais de cinqüenta empregados. No caso, o inspetor do trabalho, a direção, o departamento de pessoal e o médico do trabalho podem intervir juntos. Infelizmente, essas instâncias da organização são sobretudo solicitadas para riscos físicos ou para o respeito às normas.

A prevenção passa também pela educação dos responsáveis, ensinando-os a levar em conta a pessoa humana, tanto quanto a produtividade. Em cursos de formação específica, a serem dados por psicólogos ou psiquiatras formados em vitimologia, poder-se-ia ensiná-los a "metacomunicar", isto é, a comunicar sobre a comunicação, a fim de que eles saibam intervir antes que o processo se instale, fazendo dar nome ao que no outro irrita o agressor, fazendo-o "ouvir" o ressentimento de sua vítima. Quando o processo já está instalado é tarde demais. Os responsáveis sindicais sabem muito bem intervir para negociar as indenizações por ocasião de uma demissão, mas ficam menos à vontade quando se trata de compreender as relações interpessoais. Por que não formá-los, dar-lhes instrumentos em termos de relações humanas, como se começa a fazer no caso dos DRH (diretores de recursos humanos), para que eles possam intervir, a qualquer momento, nas disfunções da empresa e não apenas por ocasião das demissões?

Seria desejável que, nos regimentos internos e nas convenções coletivas, fossem inseridas cláusulas de proteção contra o assédio moral e que normas jurídicas estritas fossem adotadas na jurisdição francesa do trabalho.

A prevenção passa, antes de mais nada, por ações de informação das vítimas, dos empregados e das empresas. É preciso que se divulgue que esse processo existe, que ele não é raro e que pode ser evitado. Neste sentido a mídia tem um papel nada negligenciável a ser desempenhado, no sentido de pôr em guarda a respeito do assunto e de difundir essas informações.

Somente o ser humano pode administrar situações humanas. Essas situações perversas só podem ocorrer se forem estimuladas ou toleradas. É aos patrões e aos chefes que cabe reintroduzir o respeito em suas estruturas.

12

ASSUMIR A RESPONSABILIDADE PSICOLÓGICA

Como curar

COMO VIMOS, A VIOLÊNCIA PERVERSA INSTALA-SE DE MANEIRA tão insidiosa que é difícil percebê-la e assim defender-se dela. É raro que se consiga chegar a isso sozinho. Diante do que se mostra abertamente como uma agressão, uma ajuda psicológica é muitas vezes necessária. Pode-se dizer que há uma agressão psíquica quando um indivíduo é atingido em sua dignidade pelo comportamento de um outro. O erro das vítimas tem sido não descobrir a tempo que seus limites foram invadidos e não terem sabido fazer-se respeitar e, em vez disso, absorverem os ataques como esponjas. Terão, portanto, que definir o que é aceitável para elas e a partir daí definir-se.

A escolha do psicoterapeuta

O primeiro ato pelo qual a vítima se põe em condições de ser ativa é a escolha de um psicoterapeuta. A fim de ter certeza

Assédio moral 203

de não recair em um sistema perturbado por manipulações, é preferível assegurar-se de certas garantias relativas à sua formação. Na dúvida, é melhor escolher alguém que seja psiquiatra ou psicólogo, pois existem agora vários tipos de novas terapias, que podem seduzir por prometer uma cura mais rápida, mas cujo funcionamento se assemelha muito ao de seitas. De qualquer forma, nenhum método terapêutico sério pode evitar remeter o paciente de volta a si mesmo. O mais simples para a vítima é pedir uma indicação a alguém de sua confiança, ou a seu médico clínico. E não deve hesitar em ver vários terapeutas para depois escolher aquele com quem se sentiu mais confiante. É a partir do que sente que o paciente pode avaliar a capacidade desse terapeuta de poder ajudá-lo.

Diante de pacientes feridos em seu narcisismo, a neutralidade benévola, que assume uma aparência de frieza em certos psicanalistas, não é bem aceita. O psicanalista Ferenczi, que foi durante certo tempo discípulo e amigo de Freud, rompeu com ele a propósito do trauma e da técnica analítica. Em 1932, ele assinalava que "a situação analítica, esta fria reserva, a hipocrisia profissional e a antipatia em relação ao paciente que se dissimula por trás dela, e que o doente sente em todos os seus membros, não diferem essencialmente do estado de coisas que em outro tempo, ou seja, em sua infância, o fizeram adoecer".[1]

Assumir o encargo de cuidar das vítimas de perversão deve levar-nos a repor em questão nosso saber e nossos métodos terapêuticos para nos colocarmos do lado da vítima, sem nos colocarmos igualmente em uma posição de onipotência. Temos que aprender a pensar abstendo-nos de toda referência, de toda certeza, e ousando repor em questão dogmas freudianos. Aliás, a maior parte dos psicanalistas que tomam a seu cargo vítimas não mais segue Freud no que diz respeito à realidade do trauma: "A técnica analítica aplicada às vítimas deve, portanto, ser redefinida levando em conta não só a realidade psíquica como a realida-

---

[1] S. Ferenczi, "Confusion de langue entre les adultes et l'enfant" (1932), *in Psychanalyse* IV, trad. franc., Paris, Payot, 1985.

204   *Assumir a responsabilidade psicológica*

de circunstancial. A primazia dada ao conflito interior em detrimento do real objetivável explica o fraco lugar dados pelos psicanalistas às pesquisas sobre o traumatismo real e suas conseqüências psíquicas."[2]

Os psicoterapeutas devem dar provas de flexibilidade e inventar uma nova forma de trabalhar, mais benévola e estimulante. Enquanto a pessoa não tiver saído do enredamento e controle, não será uma cura psicanalítica típica, com tudo que esta implica de frustração, que poderá ajudá-la. Isto não faz mais que fazê-la cair em uma outra forma de controle.

Dar nome à perversão

É importante que o traumatismo originado por uma agressão externa seja reconhecido como uma condição prévia pelo terapeuta. Muitas vezes os pacientes têm dificuldade em evocar a relação passada, por um lado porque eles procuram fugir para o esquecimento, por outro porque o que eles poderiam dizer está ainda impensável para eles. Terão que levar tempo e ter o apoio do psicoterapeuta para conseguir gradativamente expressá-lo. A incredulidade deste constituiria uma violência suplementar, seu silêncio pô-lo-ia na posição de cúmplice do agressor. Certos pacientes que viveram uma situação de perseguição dizem que quando tentaram falar isto com um psicoterapeuta, este não quis ouvi-los e lhes fez saber que estava mais interessado nos aspectos intrapsíquicos do que na violência realmente vivida.

Expressar a manipulação perversa não leva a pessoa a ficar remoendo coisas, mas, ao contrário, permite-lhe sair da negação e da culpa. Retirar o peso da ambigüidade das palavras e do não-dito é dar acesso à liberdade. Para isso, o terapeuta tem que permitir que a vítima recupere a confiança em seus recursos internos. Sejam quais forem as referências teóricas do psicotera-

---

[2] C. Damiani, *Les Victimes*, Paris, Bayard Éditions, 1997.

Assédio moral   205

peuta, ele deve sentir-se suficientemente livre em sua prática para comunicar essa liberdade a seu paciente e ajudá-lo a sair da dominação.

É impossível tratar a vítima de um perverso (seja ela moral ou sexual) sem levar em conta o contexto. O psicoterapeuta, em um primeiro momento, tem que ajudar seu paciente a trazer à luz as estratégias perversas, evitando dar-lhes um sentido neurótico, nomeá-las, e permitir-lhe descobrir o que vem dele e de sua vulnerabilidade, e o que é produto da agressão externa. À tomada de consciência da perversidade da relação deve somar-se a tomada de consciência do modo como se deu o enredamento e o domínio. Dando-lhe os meios de perceber as estratégias perversas, permitimos que a vítima não mais se deixe seduzir por seu agressor nem tenha pena dele.

É preciso também pedir ao paciente que expresse a cólera que não pôde exprimir devido ao enredamento, permitir-lhe expressar e reviver emoções até então censuradas; se o paciente não tem palavras é preciso ajudá-lo a verbalizar.

Sair da situação

Quando se começa uma psicoterapia em um contexto de assédio, não é preciso, de início, saber por que a pessoa se meteu nessa situação, e sim como sair dela o mais rápido possível.

A psicoterapia, pelo menos em um primeiro tempo, deve ser reconfortante e permitir que a vítima saia do medo e da culpa. O paciente deve sentir claramente que se está ali por ele, que seu sofrimento não nos é indiferente. Reforçando o psiquismo da vítima, consolidando suas partes psíquicas intactas, permitimos-lhe obter confiança suficiente para ousar recusar aquilo que lhe é nefasto. Essa tomada de consciência não pode se dar senão ao término de um amadurecimento suficiente para enfrentar o agressor e dizer-lhe não.

Quando a perversão já tiver sido nomeada, a vítima deverá repensar os acontecimentos do passado em função do que ela tiver aprendido de sua agressão. Sua grade de leitura era falsa. Ela havia registrado uma série de dados que não haviam adquirido sentido no momento em que sobrevieram, pois estavam dissociados, mas que se tornam claros dentro de uma lógica perversa. Ela deve, com coragem, perguntar-se que sentido tinham tal palavra ou tal situação. Muito freqüentemente, as vítimas haviam tido a impressão de que aquilo que elas haviam deixado ser dito ou ser feito não era bom para elas, mas, não tendo conseguido imaginar outros critérios além de sua própria moral, se haviam submetido.

Livrar-se da culpa

Em caso algum a terapia deve vir reforçar a culpa da vítima, responsabilizando-a por sua posição de vítima. Ela não é responsável por isso, mas aceita essa situação. Enquanto ela não tiver conseguido sair da dominação, permanecerá invadida pela dúvida e pela culpa: "Até que ponto sou eu o responsável por essa agressão?", e essa culpa a impede de ir adiante, sobretudo se, como acontece muitas vezes, o agressor apontou a doença mental da vítima: "Você é maluco(a)!" É preciso que ela não se preocupe com ele, e sim consigo mesma.

O psicoterapeuta americano Spiegel resume assim a mudança que é preciso trazer aos psicoterapeutas tradicionais para adequá-los às vítimas: "Na psicoterapia tradicional estimula-se o paciente a assumir uma responsabilidade maior pelos problemas da vida; aqui, é preciso ajudar a vítima a assumir uma responsabilidade menor pelo trauma."[3]

Sair da culpa possibilita que a pessoa se reaproprie do próprio sofrimento, e só posteriormente, depois de ter sido afastado o sofrimento, quando ela tiver feito a experiência da cura, é que poderá voltar à sua história pessoal e tentar compreender

---

[3] D. Spiegel, "Dissociation and Hypnosis in Post-traumatic Stress Disorders", *Journal of Traumatic Stress*, 1, 17-33.

Assédio moral 207

por que entrou nesse tipo de relacionamento destrutivo, por que não soube defender-se. É preciso existir, de fato, para ser capaz de responder a tais questões.

Uma psicoterapia centrada unicamente no intrapsíquico só pode levar a vítima a ficar remoendo as coisas ou a comprazer-se em um mecanismo de depressão e de culpa, tornando-a ainda mais responsável por um processo que implica dois indivíduos. O perigo seria ir buscar unicamente em sua história o trauma passado, que daria uma explicação linear e causal a seu sofrimento atual – o que voltaria a significar o mesmo, ou seja, que ela própria é responsável por sua infelicidade. No entanto, certos psicanalistas não só recusam-se a formular a mínima apreciação moral sobre o comportamento ou as passagens a ato dos perversos que chegam a seus divãs, mesmo quando eles se mostram manifestamente desastrosos para o outro, como negam igualmente a importância do trauma para a vítima, ou ironizam sua maneira de ficar remoendo o que se passou. Em debate recente, psicanalistas que tratavam do trauma e suas incidências subjetivas mostraram como, acobertados por seu saber teórico, eles podiam vir a humilhar novamente a vítima, para a seguir torná-la responsável por sua posição de vítima. Fazendo referência ao masoquismo, isto é, à busca ativa de insucesso e sofrimento, eles apontavam a responsabilidade da vítima diante daquilo que a aniquila, bem como seu prazer em ver-se como vítima. Estes mesmos psicanalistas punham em dúvida sua inocência, argumentando que há um certo conforto na posição de vítima.

Mesmo que seja admissível em alguns pontos, o raciocínio é malsão, tal como o é um raciocínio perverso, pois em momento algum ele respeita a vítima. Ele não põe em dúvida que o assédio moral constitui um trauma que acarreta sofrimento. Como em todo trauma, existe um risco de fixação em um ponto específico de sua dor que impede a vítima de livrar-se dele. O conflito torna-se, então, seu tema único de reflexão e domina seu pensamento – particularmente se ela não tiver conseguido fazer-se ouvir e estiver sozinha. Interpretar a síndrome de repetição em termos de prazer, como se vê muitas vezes, repetiria o trauma. É preciso primeiro fazer um curativo nas feridas; a elaboração só poderá vir mais tarde, quando o paciente estiver em estado de recuperar seus processos de pensamento.

Como uma pessoa humilhada poderia vir confiar-se a esses psicanalistas que falam com grande desenvoltura teórica, mas sem a mínima empatia e com uma benevolência ainda menor para com a vítima?

Sair do sofrimento

A dificuldade que encontramos com pessoas que foram postas sob influência desde a infância e que sofreram uma violência oculta, é que elas não sabem mais funcionar de outro modo e podem assim dar a impressão de apegar-se a seu sofrimento, o que é muitas vezes interpretado pelos psicanalistas como masoquismo. "Tudo se passa como se um fundo de sofrimento e de derrelição fosse revelado pela análise, e que o paciente a ele se aferrasse, como a seu mais precioso bem, ou como se, voltando-lhe as costas, ele estivesse renunciando à sua identidade."[4] O elo com o sofrimento corresponde a um dos vínculos estabelecidos com os outros, no sofrimento e na pena. São vínculos que nos constituem como seres humanos, e parece-nos impossível abandoná-los sem, ao mesmo tempo, separar-nos dessas pessoas. Não se ama, pois, o sofrimento em si – o que seria masoquismo –, ama-se todo o contexto no qual nossos primeiros comportamentos foram aprendidos.

É perigoso querer sensibilizar demasiado rápido o paciente para sua dinâmica psíquica, mesmo quando se sabe que, se ele se enredou nessa situação de dominação, é porque muitas vezes ele reencontrou aí, de fato, alguma coisa de sua infância. O perverso, com muita intuição, o capturou por essas falhas infantis. Pode-se, apenas, levar o paciente a ter em conta os laços que existem entre

---

[4] F. Roustang, *Comment faire rire un paranoïaque, op. cit.*

Assédio moral

a situação recente e as feridas anteriores. O que só pode ser feito quando já se está bastante seguro de que ele saiu do domínio do outro, e que está suficientemente sólido para carregar sua parte de responsabilidade sem cair em uma culpa patológica.

As lembranças involuntárias e intrusivas constituem uma espécie de repetição do trauma. Para evitar a angústia ligada às lembranças da violência sofrida, as vítimas tentam controlar suas emoções. A fim de pôr-se na posição de recomeçar a viver, elas têm que aceitar sua angústia, saber que ela não desaparecerá instantaneamente. Na realidade, elas têm necessidade de relaxar e aceitar a própria impotência, por um verdadeiro trabalho de luto. Podem, então, aceitar o que sentem, reconhecer seu sofrimento como uma parte delas mesmas digna de estima e olhar de frente a própria ferida. Somente esta aceitação permite parar de gemer ou de esconder de si mesmo seu estado mórbido.

Se a vítima está confiante, ela pode rememorar a violência sofrida e suas reações, reexaminar a situação, ver que participação ela teve nessa agressão, e de que modo ela forneceu armas ao agressor. Ela não terá mais necessidade de fugir de suas recordações e poderá aceitá-las sob uma nova perspectiva.

Curar-se

Curar-se significa poder reunir as partes dispersas e restabelecer a circulação. Uma psicoterapia deve permitir à vítima tomar consciência de que ela não se resume à sua posição de vítima. Servindo-se de sua parte sólida, a parte masoquista que eventualmente a mantinha enredada e dominada cede por si mesma. Para Paul Ricoeur, o trabalho de cura começa na região da memória e prossegue na do esquecimento. Segundo ele, é possível sofrer de excesso de memória e ser habitado pela lembrança das humilhações sofridas ou, pelo contrário, sofrer de uma falta de memória e fugir assim de seu próprio passado.[5]

---

[5] P. Ricoeur, "Le pardon peut-il guérir?", *Esprit*, março-abril de 1995.

210 · *Assumir a responsabilidade psicológica*

Como dissemos, o paciente tem que reconhecer seu sofrimento como uma parte de si mesmo digna de estima e que lhe permitirá construir um futuro. Tem que encontrar a coragem de olhar de frente sua ferida. Só assim poderá parar de gemer ou de esconder de si mesmo seu estado mórbido.

A evolução das vítimas que se libertam do domínio mostra bem que não se trata aqui de masoquismo, pois muitas vezes essa experiência dolorosa serve de lição: as vítimas aprendem a proteger sua autonomia, a fugir da violência verbal, a recusar tudo que atenta contra sua auto-estima. A pessoa não é "globalmente" masoquista, mas o perverso a apanha por sua falha que pode, eventualmente, ser masoquista. Quando um psicanalista diz a uma vítima que ela se compraz com o próprio sofrimento, ele escamoteia o problema relacional. Não somos um psiquismo isolado, nós somos um sistema de relações.

O trauma vivido implica em uma reestruturação da personalidade e uma relação diferente com o mundo em torno. Ele deixa um traço que não mais se apagará, mas sobre o qual é possível reconstruir. Essa experiência dolorosa de vida é muitas vezes ocasião de uma remobilização pessoal. Dela se sai mais forte, menos ingênuo. Pode-se decidir que, de ora em diante, se vai ser respeitado. O ser humano que foi cruelmente tratado pode extrair da constatação de sua impotência novas forças para o futuro. Ferenczi assinala que uma desgraça extrema pode despertar repentinamente disposições latentes. No ponto em que o perverso havia mantido um vazio pode-se produzir uma atração de energia semelhante a uma inspiração de ar: "O intelecto não nasce simplesmente de sofrimentos ordinários, nasce somente de sofrimentos traumáticos. Ele se constitui como fenômeno secundário ou tentativa de compensação de uma total paralisia psíquica."[6] A agressão assume, então, o valor de uma prova iniciática. A cura pode dar-se na integração desse acontecimento traumático como um episódio estruturante da vida, que permite reencontrar um saber emocional reprimido.

---

[6] S. Ferenczi, *Psychanalyse, IV, op. cit.*

Assédio moral

As diferentes psicoterapias

O número e a diversidade de psicoterapias não facilitam a escolha de um método terapêutico. Na França, as terapias psicanalíticas são nitidamente preponderantes, e relegam, de certo modo, a segundo plano outros métodos mais adequados, talvez, ao encargo imediato das vítimas. Isto se deve ao fato de a psicanálise ter sabido impor um *corpus* teórico que se difundiu por toda parte na cultura como uma referência geral.

As psicoterapias cognitivo-comportamentais

O objetivo das terapias cognitivo-comportamentais é modificar sintomas e condutas patológicas sem procurar agir sobre a personalidade nem sobre as motivações.

Um primeiro nível de intervenção dá-se em relação ao estresse. Por meio de técnicas de relaxamento, o paciente aprende a reduzir sua tensão psíquica, suas perturbações de sono e sua ansiedade. Essa aprendizagem é muito útil em situações de assédio dentro da empresa, quando a pessoa está ainda em condições de defender-se. Ela pode, assim, reduzir o impacto físico do estresse aprendendo, por exemplo, a controlar uma explosão de cólera por meio do relaxamento e do controle da respiração.

Um outro método comportamental consiste em técnicas de auto-afirmação. No caso de vítimas de perversos manipuladores, os terapeutas comportamentalistas[7] partem do princípio de que as vítimas são pessoas passivas, insuficientemente afirmadas, a quem falta autoconfiança, à diferença dos sujeitos afirmados (ativos) que expressam claramente suas necessidades e suas recusas. Isto me parece ser uma interpretação excessivamente esquemática e redutora, que faz pensar que as vítimas são "habitualmente" passivas e pouco afirmativas. Já vimos que, mesmo sendo, na maior parte das vezes, pessoas escrupulosas, que tendem

---

[7] I. Nazare-Aga, *Les manipulations sont parmi nous*, Ivry, L'Homme, 1997.

a fazer tudo muito bem, elas sabem afirmar-se em um outro contexto. Não será uma simples técnica de afirmação de si que poderá desenrolar o jogo complexo que permitiu a aproximação de um perverso. No entanto, por essas técnicas, as vítimas podem aprender a descobrir a manipulação, a ver que nenhuma comunicação é possível com um perverso manipulador e a repor em questão seus esquemas de comunicação ideal.

As terapias comportamentais são, por vezes, casadas a terapias cognitivas que permitem ao paciente aprender a bloquear os pensamentos ou as imagens repetitivas ligadas ao trauma, ou técnicas de aquisição de capacidade de administrar as dificuldades do momento, o que seria, no caso da vítima de manipulações perversas, aprender a contramanipular.

A reestruturação cognitiva parece ser um método muito mais interessante para ajudar as vítimas de agressões perversas. Estas, como vimos, sem serem depressivas, têm esquemas cognitivos pré-depressivos, que infiltram em sua personalidade crenças do tipo "se eu cometer um erro eu sou uma pessoa sem valor". O perverso as captura por seus princípios básicos: dedicação aos outros, valorização do trabalho honesto. O terapeuta pode ajudar os pacientes a ultrapassar a vivência traumática diminuindo seu senso de responsabilidade em relação ao trauma; a reconhecer e suportar o mal-estar que acompanha as lembranças da violência; a admitir a própria impotência.

A hipnose

Freud utilizou inicialmente a hipnose e a sugestão, antes de abandoná-las, porque lhe pareciam basear-se na sedução e em um controle alienante. A prática da hipnose ressurgiu há alguns anos, essencialmente no movimento "ericksoniano". O americano Milton H. Erickson foi qualificado de terapeuta "fora do comum", mesmo não tendo nunca teorizado sua prática. Ele praticava a hipnose, mas também outras estratégias de mudança que levam em conta o contexto de vida do paciente; por isso

Assédio moral 213

teve uma influência considerável no desenvolvimento da terapia familiar sistêmica.

As técnicas que utilizam a hipnose apóiam-se na capacidade de dissociação, que é particularmente desenvolvida em inúmeras vítimas de traumas. François Roustang ensina que o corte produzido pela hipnose é do mesmo tipo do que é operado pelo trauma: "Ele separa o suportável do insuportável, que fica relegado à amnésia." Estes métodos têm como finalidade ajudar as vítimas a desenvolverem novas perspectivas que diminuam o sofrimento ligado ao trauma. Também neste caso não se trata de tomada de consciência de um conflito psíquico, e sim de uma técnica que possibilita ao paciente mobilizar seus próprios recursos. Quanto mais profunda for a hipnose, mais a singularidade da pessoa aparece e faz descobrir possibilidades antes insuspeitadas.

A escolha deste método pode parecer paradoxal. De fato, na hipnose a pessoa é obrigada a passar pela confusão para desligarse de seu sintoma; porém foi a confusão o meio pelo qual se estabeleceu o controle perverso. Mas o psicoterapeuta utiliza essa confusão para permitir que o paciente reinvente seu mundo abandonando suas estratégias de fracasso, ao passo que o perverso a utilizava para impor sua vontade e sua maneira de pensar. Vemos, portanto, que, mais que os métodos, é a escolha do terapeuta que é primordial. O essencial, realmente, é que o terapeuta seja prudente e tenha uma grande experiência clínica. O paciente deverá desconfiar de terapeutas de formação excessivamente rápida, que se contentariam com fazer emergir recordações traumáticas, sem levar em conta a totalidade da pessoa.

As psicoterapias sistêmicas

O objetivo principal das psicoterapias familiares não é a melhoria sintomática de um indivíduo, e sim a comunicação e individuação dos diferentes membros de um grupo. Na psicoterapia de casal, o cliente é o casal, e não um ou outro parceiro;

214 *Assumir a responsabilidade psicológica*

na psicoterapia familiar, o terapeuta demonstra igual interesse por cada um dos membros da família, por meio de uma tomada de posição múltipla. Eles se esforçam por lutar contra os rótulos, "o perverso", "a vítima" etc. ao analisar um processo interativo.

Colocar-se como vitimólogo pode parecer, aos mais sistemáticos, voltar a uma explicação linear. Mas reconhecer como dado prévio a personalidade de cada um não exclui que se levem em conta processos circulares de reforço. Pode-se dizer, por exemplo: um indivíduo excessivamente solícito para com seu parceiro exacerba neste uma tentação de dependência que ele não suporta. Este reage projetando de volta sua rejeição e agressividade em relação ao outro que, não compreendendo, tende a sentir-se responsável e a mostrar-se ainda mais atencioso, o que agrava a rejeição de seu parceiro. Esta explicação sistêmica só tem sentido se levarmos em conta o fato de que um dos protagonistas é um perverso narcisista e o outro tem propensão a culpar-se.

As hipóteses sistêmicas – a noção de homeostase das famílias (manter a qualquer preço o próprio equilíbrio) e a noção de *double bind* (bloquear a comunicação para paralisar os processos de pensamento) – ajudam-nos a compreender como o controle se instala. No entanto, no plano clínico, um raciocínio sistêmico estrito, que não reconhece agressor e agredido, mas apenas uma relação patológica, arrisca-se a fazer perder de vista a proteção do indivíduo.

Analisar os processos circulares é muito útil para desarmar uma situação que ainda mantenha uma certa flexibilidade, pois permite relacionar os comportamentos de um membro da família aos de um outro; mas, quando já se passou do estágio de enredamento ao de assédio, o processo tornou-se autônomo e não é mais possível interrompê-lo contando com a lógica ou a vontade de mudança dos protagonistas.

Nomear a perversão tem uma conotação moral, acarreta uma reprovação que muitos terapeutas não querem assumir. Preferem, então, falar em relação perversa, em vez de falar em

Assédio moral   **215**

agressor e vítima. A pessoa agredida é assim deixada só diante de sua culpa e não pode desprender-se do enredamento mortífero.

De qualquer forma, é muito raro que um perverso narcisista aceite uma consulta de terapia familiar ou de casal, pois é-lhe impossível pôr-se realmente em questão. Os que ousam fazê-lo são indivíduos que utilizam defesas perversas sem serem autenticamente perversos. Por ocasião de consultas impostas, por exemplo, como mediações a pedido de um juiz, os perversos tendem a manipular igualmente o mediador, a fim de levá-lo a ver até que ponto seu parceiro é "mau". É, pois, muito importante que os terapeutas ou mediadores estejam particularmente vigilantes

A psicanálise

Digamos de saída: um tratamento psicanalítico típico não é adequado a uma vítima que ainda esteja sob o choque da violência perversa e das humilhações. Na realidade, a psicanálise se interessa essencialmente pelo intrapsíquico e não leva em conta patologias induzidas na relação com o outro. Seu objetivo é analisar os conflitos pulsionais da infância que foram recalcados. Seu protocolo rígido (sessões regulares e freqüentes, paciente estendido em um divã com o analista fora de sua vista), desejado por Freud a fim de controlar a transferência, pode acarretar uma frustração insuportável a uma pessoa que tenha sofrido uma recusa deliberada de comunicação e levá-la a identificar o psicanalista ao agressor, perenizando assim um estado de dependência.

Só quando a vítima estiver suficientemente refeita é que poderá começar uma psicanálise, e compreender, por um trabalho de rememoração e de elaboração, o que, em sua história infantil, pode explicar sua excessiva tolerância em relação ao outro, e trazer à tona as falhas que permitiram o enredamento perverso.

A psicanálise visa a uma modificação da estrutura psíquica subjacente, enquanto que as outras terapias buscam obter uma melhoria sistemática e reforçar defesas; o que não as impede de obter igualmente um remanejamento psíquico mais profundo. De qualquer modo, a etapa prévia de reparação é indispensável para a vítima, que tem que se desprender da história recentemente vivida antes de evocar as feridas de sua infância.

A psicanálise sozinha não pode nada. Terapia alguma oferece uma solução miraculosa que permita ao paciente economizar um esforço de mudança. Pode-se dizer que o quadro teórico importa pouco. O essencial é a adesão do paciente ao terapeuta e a seu método, e o rigor e o investimento do psicoterapeuta. É necessário que os psicanalistas cessem de fechar-se rigidamente em uma escola e possam abrir-se a outras perspectivas. Isto começa a ser claramente visto, pois cada vez mais jovens psiquiatras e psicólogos clínicos abrem-se às diferentes teorias da psique, e terapeutas de diferentes práticas começam a comunicar-se entre si. Por que não imaginar uma passagem de uma forma de terapia a outra, ou ainda uma integração das práticas psicoterapêuticas existentes?

CONCLUSÃO

AO LONGO DESTAS PÁGINAS VIMOS O DESEN-
ROLAR dos processos perversos em determinados contextos,
mas é bastante evidente que esta lista não é limitativa e que esses
fenômenos ultrapassam amplamente o mundo do casal, da família ou da empresa. Podemos encontrá-los em todos os grupos
em que indivíduos podem entrar em rivalidade, particularmente nas escolas e universidades. A imaginação humana é ilimitada
quando se trata de matar no outro a boa imagem que ele tem de
si mesmo; mascaram-se, assim, as próprias fraquezas e pode-se
assumir uma posição de superioridade. É a sociedade inteira que
está em causa quando se trata de uma questão de poder. Em
todos os tempos houve seres desprovidos de escrúpulos, calcula-
dores, manipuladores, para os quais os fins justificam os meios,
mas a multiplicação atual dos atos de perversidade nas famílias e
nas empresas é um indicador do individualismo que domina em
nossa sociedade. Em um sistema que funciona com base na lei
do mais forte, do mais astucioso, os perversos são reis. Quando
o sucesso é o valor principal, a honestidade parece fraqueza e a
perversidade assume um ar de desenvoltura.

218 *Conclusão*

A pretexto de tolerância, as sociedades ocidentais renunciam pouco a pouco a suas próprias interdições. Mas, aceitando demasiado, como o fazem as vítimas de perversos narcisistas, elas deixam desenvolver-se em seu seio funcionamentos perversos. Inúmeros dirigentes ou homens políticos, apesar de estarem na posição de modelos para os mais jovens, não se embaraçam com a moral para liquidar um rival ou manter-se no poder. Alguns abusam de suas prerrogativas, usam de pressões psicológicas, de razões de Estado ou do "direito de sigilo" para proteger sua vida privada. Outros enriquecem graças a uma astuciosa delinqüência, feita de uso e abuso de bens sociais, fraudes ou sonegação fiscal. A corrupção tornou-se moeda corrente. Ora, basta um ou vários indivíduos perversos em um grupo, em uma empresa ou no governo para que todo o sistema se torne perverso. Se esta perversão não é denunciada, ela se espalha de forma subterrânea pela intimidação, pelo medo, pela manipulação. Na realidade, para atar psicologicamente alguém, basta arrastá-lo a mentiras ou a compromissos que o tornem cúmplice do processo perverso. É a própria base do funcionamento da máfia e dos regimes totalitários. Seja nas famílias, nas empresas ou nos Estados, os perversos narcisistas arranjam as coisas de modo a creditar a outros o desastre que eles provocam, a fim de posarem de salvadores e assumirem assim o poder. Depois basta não se deixar embaraçar por escrúpulos para aí se manterem. A história nos mostra muitos desses homens que se recusam a reconhecer seus erros, que não assumem suas responsabilidades, que manejam a falsificação e manipulam a realidade a fim de apagar os traços de suas más ações.

Além da questão individual do assédio moral, estas são questões mais gerais que nos dizem respeito. Como restabelecer o respeito entre os indivíduos? Quais os limites a serem postos à nossa tolerância? Se os indivíduos não detêm por si mesmos esses processos destruidores, cabe à sociedade intervir, legislando a respeito. Recentemente um projeto de lei foi apresentado na França propondo considerar como delito o "trote", repri-

Assédio moral 219

mindo todo ato degradante e humilhante nos meios escolar e sócio-educativo. Se não queremos que nossas relações humanas sejam totalmente regidas por leis, é essencial fazer um ato de prevenção junto às crianças.

BIBLIOGRAFIA

AUBERT N. e GAUJELAC V., *Le coût de l'excellence*, Paris, Le Seuil, 1991.

AVFT, BP 108, 75561 Paris cedex 12. Tel. 01 45 84 24 24.

BAUDRILLARD J., *De la séduction*, Paris, Denoël, 1979.

BERGERET J., *La personnalité normale et pathologique*, Paris, Bordas, 1985.

CLASSEN C., KOOPMAN C. e SIEGEL D., "Trauma and dissociation" *in Bulletin of the Menninger Clinic*, vol. 57, n° 2, 1993.

CROCQ L., "Les victimes psychiques", *in Victimologie*, nov. 1994.

CYRULNIK B., *Sous le signe du lien*, Paris, Hachette, 1989, 1997 para a edição de bolso.

DAMIANI C., *Les victimes*, Paris, Bayard Édition, 1997 .

DEJOURS C., *Souffrance en France*, Paris, Le Seuil, 1998.

DOREY R., "La relation d'emprise", *Nouvelle revue de psychanalyse*, n° 24, Gallimard, 1981.

DUTTON M.-A. e GOODMAN L., "Post-traumatic Stress Disorder among battered women: analysis of legal implications" *in Behavioral Sciences and the law*, vol. 12, 215-234, 1994.

EIGUER A., *Le pervers narcissique et son complice*, Paris, Dunod, 1996.

FERENCZI S., "Confusion de langue entre les adultes et l'enfant" (1932), *in Psycanalyse IV*, Payot para a tradução francesa.

FERENCZI S., "Psychanalyse des névroses de guerre" (1918) *in Psycanalyse III*, Payot para a tradução francesa.

FERENCZI S., *Psychanalyse IV*, Payot.

FITZGERALD, "Sexual harassment: the definition and measurement of a construct" *in* M.A. Paludi (org.): *Ivory power: sexual harassment on campus*, Albany, State University of New York Press.

FREUD S., *Le problème économique du masochisme*, Paris, PUF, 1924.

GIRARD R., *La violence et le sacré*, Paris, Grasset, 1972.

HURNI M. e STOLL G., *La haine de l'amour (La perversion du lien)*, Paris, L'Harmattan, 1996.

KAFKA F., *Le procès*, Paris, Flammarion, 1983, para a tradução francesa.

KERNBERG O., "La personnalité narcissique" *in Borderline condition and pathological narcissism*, Nova York, 1975.

KHAN M., "L'alliance perverse", *in Nouvelle revue de psychanalyse* 8, 1973.

LAPLANCHE J. et PONTALIS J.-B., *Vocabulaire de la psychanalyse*, Paris, PUF, 1968.

LEMAIRE J.-H., *Le couple: sa vie, sa mort*, Paris, Payot, 1979.

LEMPERT B., *Désamour*, Paris, Le Seuil, 1989.

LEMPERT B., *L'enfant et la désamour*, Éditions L'arbre au milieu, 1989.

LEYMANN H., *Mobbing*, Le Seuil, 1996 para a tradução francesa.

MACKINNEY et MEROULES, 1991, citado por PINARD G.-F. *in Criminalité et psychiatrie*, Paris, Ellipses, 1997.

MILGRAM S., *Soumission à l'autorité*, Paris, Calman-Lévy, 1974, para a tradução francesa.

MILLER A., *C'est pour ton bien*, Paris, Aubier, 1984, tradução de Jeanne Etoré.

MILLER A., *La souffrance muette de l'enfant*, Aubier para a tradução francesa, 1988.

MILLER A., *La souffrance muette de l'enfant*, Paris, Aubier, 1990.

NAZARE-AGA I., *Les manipulateurs sont parmi nous*, Les éditions de l'homme, 1997.

OVÍDIO, *Les métamorphoses*, Paris, Gallimard, tradução de G. Lafaye.

PERRONE R. e NANNINI M., *Violence et abus sexuels dans la famille*, Paris, ESF, 1995.

RACAMIER P.-C., *L'inceste et l'incestuel*, Paris, Les Éditions du Collège, 1995.

RACAMIER P.-C., "Pensée perverse et décervelage" *in Gruppo*, 8.

RICCOEUR P., "Le pardon peut-il guérir?" *in Esprit*, mar. -abr. 1995.

ROUSTANG F., *Comment faire rire un paranoïaque*, Paris, Éditions Odile Jacob, 1996.

Assédio moral

SPIEGEL D., "Dissociation and hypnosis in post-traumatic stress disorders", in *Journal of Traumatic Stress*, 1, 17-33.

SUN TSÉ, *L'art de la guerre*, Tradução do chinês pelo padre Amiot, Paris, Didot l'aîné, 1772. Reedição Agora Classiques, 1993.

TELLENBACH H., *La mélancolie*, PUF, para a tradução francesa, 1961.

Este livro foi composto na tipografia
Minion Pro, em corpo 11,5/13,8, e impresso em
papel off-set no Sistema Digital Instant Duplex
da Divisão Gráfica da Distribuidora Record.